100억 부자로 가는길!

성공토지
투자비밀

성공 토지투자 비밀☆

부동산투자,
제대로 하려면 땅부터 하라!

백억부자로가는길!

성공 토지 투자 비밀

부 동 산 비 젼 메 신 저

처음 토지투자를 시작하는 분들에게 도움이 되고 싶습니다.

2020년 5월 팬데믹 속 코로나19가 한창 극성을 부릴때였습니다. 오직 직장생활이 전부인냥 지냈던 시절, 길어지는 코로나19로 인해 천직으로만 알고 지냈던 나의 직장생활이 나의 의도와는 다르게 회사를 그만둬야하는 상황으로 반강제적으로 실직을 하게 되었습니다.

그때 내 나이 50대로 다시 디자이너로 취업하기에는 너무 많은 나이였으며, 코로나로 다들 어려워져 모든 회사들이 구조조정으로 사람을 구하는 곳이 많지 않았습니다. 평생 다녔던 직장을 퇴직하고 나니 손에 남는 것이 별로 없었습니다.

앞으로의 제2의 인생을 준비하기 위해 창업할 수 있는 아이템을 찾았지만 모든 게 내 몸을 움직여 노동으로 돈을 벌어야 하는 창업이었습니다. 그러다 우연히 토지 투자에 관한 기사를 읽게 되었으며, 그 기사는 토지 투자의 잠재력과 성공 사례를 다루고 있었습니다. 그리고 그 순간, 나는 깨달았습니다. 돈을 벌고 부자로 가는 길에는 토지 투자만큼 좋은 방법이 없다는 것을. 왜? 좀 더 일찍 알지 못했을까 하는 후회가 많이 밀려왔습니다. 그때부터 본격적인 토지 공부를 하게 되었습니다. 대한민국에서 돈을 벌려면 토지를 알아야겠구나. 이건 선택이 아니라 필수라는 것을 알게 되었고 사업하는 사람들의 대다수도 땅으로 돈을 벌었다는 사실을 알게 되었습니다.

그래서 제가 겪은 시행착오를 줄여 주기 위해 시간이 부족한 직장인들이나 소액으로 투자하고 싶은 사람들에게도 토지 투자는 확실한 길이 될 수 있다는 걸 알려 드리고 싶습니다

아직 저도 초보 투자자이지만 제가 겪은 실패와 경험을 바탕으로 초보 투자자들이 실패하지 않도록 도움을 드리고자 ′백억 부자로 가는 길! 성공 초보 토지 투자 비밀′이라는 책을 쓰게 되었습니다.

이 책은 단순한 토지 투자 안내서가 아닙니다. 이 책은 초보자들

에게 누구나 토지 투자의 세계에 입문할 수 있는 문을 열어주는 역할을 하며. 나의 미래를 바꿀 수 있는 토지 투자에 대한 기본 개념부터 고수의 꿀팁까지 실패하지 않는 토지 투자로 수익을 볼 수 있는 다양한 내용을 담았습니다

이 책은 시간이 부족한 직장인들과 소액으로 투자하고 싶은 사람들을 위해 제작되었습니다. 이것만 알아도 실패 없는 토지 투자가 될 것입니다. 초보 투자자들이 시행착오를 겪지 않고 토지 투자의 잠재력을 최대한 활용할 수 있도록 길을 열어주는 역할을 하고 있습니다. 초보 토지투자자들에게 많은 도움이 되었으면 합니다.

이 책을 읽고 한 사람이라도 도움이 되었으면 하는 바람으로 평생 배움을 멈추지 않고 배움을 나눌 수 있는 사람이 되고 그런 영향을 줄 수 있는 사람이 되고 싶습니다.

지금부터, 나의 토지 투자 이야기가 시작하겠습니다. 함께 여행하는 독자 여러분, 나와 함께 토지 투자 이야기 속으로 떠나보지 않겠습니까?

2024년 부동산비젼메신저

성공 토지투자 비밀☆

목차

3장 실패없는 처음소액 토지투자 성공 공식(1)

4장 실패없는 처음소액 토지투자 성공 공식(2)

지금 사는 땅이 가장 싼 땅이다!

라는 말이 있을 정도로 땅값은 매일매일 달라진다.

땅은 모든 부동산의 근본이다. 지금 우리가 사는 집, 다니고 있는 직장, 우리가 혜택을 누리고 있는 편의시설 모두가 땅 위에 지어진 건물이다. APT, 사무실, 건물 등 그 가치는 땅값에 의해 영향을 받는다. 부동산에서 가장 중요한 것이 입지다. 그 말은 곧 부동산 가격을 결정하는 것은 건물이 아니라 땅이라고 말해주는 것이다. 그러니 어떤 형태든 부동산을 소유하고 있다면 이미 토지 투자를 경험한 것이라고 말할 수 있다.

부동산이 아니고 '땅'으로 특정지은 이유!

건물은 수십 년 수백 년이 지나도 계속 가격이 오를 수 있을까? 결론적으로 말하면 아니다. 건물은 30년이 지나면 그 가치가

0원이 된다. 하지만 땅값은 계속 오른다. 30년이 지나도 '은마아파트'는 계속 오르고 있는데 이것은 강남의 특수성 때문에 일어나는 현상이고 예외 중에 하나다. 강남이 아닌 지역이라면 더욱이 건물은 30년이 지나면 가치가 0원으로 수렴된다.

지난 수십 년간 아파트가 격이 많이 올랐다고 해도 5~6배까지 오르지는 않았다. 하지만 땅은 개발 호재가 있고 타이밍만 제대로 잡으면 5~6배는 거뜬히 오른다. 예를 들어 동탄역이 개발되면서 역세권 주변에는 동탄역이 들어서는 것만으로 땅값의 자기가 변동이 100배가 오른 경우도 확인할 수 있다. 그래서 "인생 역전"이라는 말이 있을 정도로 땅 부자들이 많이 생겼다.

50년간 땅값 상승 3030배?

쌀값이 50배 오르고
휘발유 값이 77.5배 오르는 동안
땅값은 3030배 올랐습니다.

과거 1964년부터 50년간 쌀값이 50배 정도 휘발유값이 77.5배 오르는 동안 땅값은 무려 3,030배나 올랐다. 또 문재인 정부 출범 2년 사이 땅값이 2,000조 올랐다고 한다. 문재인 정부 들어 아파트값도 많이 올랐지만 이보다도 더 많이 오른게 땅값이다. 땅값은 과거부터 꾸준히 큰 폭으로 상승세를 보여 왔다.

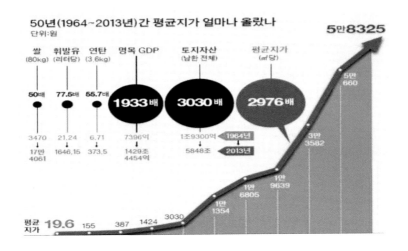

이렇게 땅으로 큰 부자가 된 사람을 보면 '나도 투자를 해볼까'
라는 막연한 생각은 하지만 엄두가 나지 않는다. 흔히 생각할 때
땅 투자는 어렵고 목돈이 필요하다고 생각들을 많이 하고 있다. 나
역시도 그랬다.

우선, 이 선입견부터 깰 필요가 있다. 대부분 사람은 토지 투자
는 시간이 오래 걸린다. 어려워 초보자는 섣불리 덤비지도 못한다.
많은 투자금이 필요하니 소액투자가 어렵다는 등의 생각 말이다.
누구나 쉽게 시작할 수 있는 일은 아니지만 바로 아무나 시도하지
않기 때문에 더 많은 기회가 존재한다. 이것이 토지 투자시장이 아
직 블루오션이라는 장점이다.

땅은 더는 생산 할 수가 없는 대체 불가의 상품이다! 그만큼 희소가치가 높은 것이 땅이다. 전 국민의 몇 %나 지주가 되어 있다고 생각하는가? 많지 않다.

이처럼 땅은 무한한 가능성을 지닌 투자처로, 제대로 고른 땅을 보유하면 물가 상승률보다 수백 배 이상의 이익을 거둘 수도 있다.

조금만 알면 충분히 경험이 없는 왕초보도 수익을 낼 수 있으며 소액으로도 얼마든지 투자할 수 있다. 시간이 걸릴지언정 땅을 가진 사람들은 반드시 부자가 된다.~~~

땅 투자의 가장 단점이 시간적 리스크인데 이것도 제대로 투자를 하게 되면 시간적 리스크도 줄이면서 충분히 투자가치가 있는 곳에서 수익을 낼 수 있다.

땅 부자의 비결
성공적인 토지 투자 전략 핵심 3가지

땅에 투자해야 한다. 그렇다고 무조건 아무 땅에 투자하는 것이 아니다. 가격이 오르는 지역에 땅을 사야 한다.

어떤 땅이 오르는 지역의 땅인가?

그렇다면 어떤 지역이 오르는 지역인지를 먼저 알아야 한다. 땅이라는 것은 빌딩과 아파트와 다르게 눈에 보이지 않는 무형물이기 때문에 미래에 대한 그림을 그릴 수 있는 눈이 필요하다. 아무리 돈이 되는 땅이라고, 개발이 확실한 지역이라고 투자가치가 있는 땅이라고 설명을 해도 당장 눈에 보이지 않기 때문에 불안한 심리 때문에 선뜻 투자하기를 꺼린다. 땅이라는 것은 허허벌판일 때 들어가야 수익을 낼 수가 있는데 그땐 아무것도 들어서지 않은 논과, 밭, 허허벌판의 모습을 보고 투자한다는 것은 쉬운 일이 아니다.

그래서 몇 년 후의 변화하는 땅에 대한 그 미래 가치를 그릴 수 있는 눈을 길러야 한다. 그러기 위해선 비슷하게 개발된 사례를 자주 찾아보고 현장을 가서 보고 변화한 모습들을 확인해보아야 한다. 그러면서 아~ 내가 산 땅이 몇 년 후에는 이렇게 저렇게 변하겠구나! 라는 그림을 그릴 수 있는 눈이 생기는 것이다.

현재 개발되고 있거나 향후 개발 가능성이 있는 지역의 땅을 사야 한다. 개발 호재가 있는 곳의 땅값은 누구나 오른다는 것은 알고 있다. 요즘은 정보가 넘쳐나는 시대에 살고 있어서 내가 조금만 공부를 해도 어느 지역이 어떻게 개발이 될 지역인지 충분히 발품 아닌 손품만 팔아도 충분히 알 수 있다. 관심만 있다면 충분히 향후 개발될 지역이 어디인지 개발 정도의 규모와 실거래 가격까지 빠르게 알 수 있다.

1) 매물이 사라진 지역을 확인하라.

그렇다면 앞으로 오를지 역이 어디인지를 어떻게 알 수 있을까? 일단 매물 내놓은 곳이 많은 곳인지 아님 적은 곳인지를 알아봐야 한다. 불과 몇 달 전까지만 해도 많은 매물이 있던 지역에 개발 호재가 생기면서 있던 매물들이 다 없어진 경우들이 있다. 이런 지역의 땅을 사야 앞으로 오르는 지역의 땅이 되고 내가 수익을 올릴 수 있는 투자가 되는 것이다.
일단 부동산 매물 사이트에 들어가 보자. 이용자가 많고 활성화가 잘 되어 있는 몇 군데의 앱을 활용하면 좋다. 내가 본 매물을 검색하는게 아니라 중개사로 검색을 해 대로변에 있는 매물이 많은 중개업소 몇 군데를 선택해 예약을 잡고 방문을 한다. 많은 곳을 방문하면 좋겠지만 땅은 브리핑 시간도 길고 지역이 다르다면 가는 시간도 걸리기 때문에 한 지역에 두 군데 정도 미팅을 잡는 것이 좋다. 예약할 때도 내가 이 지역에 투자 관심이 많다는 것과 투자 금액이 어느 정도인지 알려 주는 것이 좋다. 그래야 중개사무소에서도 실투자자임을 인지하고 그에 맞는 매물을 소개해 준다.

2) 급등하는 지역이라면 계약 때 중도금을 걸어라!

개발지역의 주변 땅은 하루가 다르게 가파르게 상승을 한다. 오를 때는 단기간에 몇백씩 상승하는 것은 기본이다. 투자자가 몰리는 땅이라는 것은 시세가 없으므로 부르는 것이 값이기 때문이다. 특히 아파트나 대형 쇼핑몰이 들어가는 자리라면 필요한 땅의 위치는 시세의 몇백 이상의 가격이라도 거래가 된다. 이렇게 급등하는 지역이라면 중도금을 거는 데 좋다. 계약하고서도 계약자가 계약을 취소하는 경우가 비일비재하게 일어나기 때문이다. 만약 계약금을 걸 때는 매매 대금의 50%에 맞추는게 일반적이다. 땅 매매에 있어 중도금이 꼭 필요한 것은 아니지만 급등하는 지역에는 중도금을 거는 것이 매도자가 일방적인 계약 파기를 하기 어렵기 때문이다.

3) 땅도 입지가 가장 중요하다!

　수많은 현장 경험을 통해 땅을 사는 이유가 무엇일까! 나중에 다시 팔때 잘 팔기 위한 것이다. 땅을 좋은 가격에 잘 팔려면 그 땅을 사려는 사람이 많아야 한다. 즉 투자가치가 확실한 곳에 사람이 몰린다는 것이다. 그런 지역은 도로나 IC, 철도역이 생겨 교통인프라가 좋아지는 곳, 산업단지가 들어서 일자리가 늘어나는 곳, 신도시가 들어서 새로운 인구가 늘어나면서 유입되는 곳, 주로 이런 개발지 주변이 오르는 지역인데 결국 땅도 입지가 가장 생명이고 중요하다는 것이다. 아무리 모양이 예쁘고 도로에 붙어 있는 땅이라도 개발지와 멀어져 있으면 땅값은 오르지 않는다. 이런 땅에 투자하는 사람도 없다. 반대로 안 좋은 땅이라도 개발지와 가깝거나 딱 붙어 있는 땅이라면 투자를 할 것이다. 하다못해 개발제한구역이라 할지라도 개발지와 가까우면 거래가 되는 일도 있다. 그러니 땅은 개발되는 곳과 가까워야 값이 오른다는 사실을 명심하자.

인생을 바꾸는 큰 결정, 나도 '토지 투자' 시작한다.

막연하게만 생각하고 있던 나의 토지 투자를 2020년 처음 시작하였다. 직장생활에만 매달려 천직으로만 알고 앞만 보고 달려온 지금! 내 손에 남는데 아무것도 없다. 코로나로 실직을 하게 되면서 막연하게만 생각하고 있던 부동산 공부를 시작하게 되었다. 공부하면 할수록 왜 좀 더 일찍 시작하지 않았을까! 나에게도 이런 길이 있다는 것을 알려 주는 사람이 있었으면 얼마나 좋았을까! 하는 많은 생각을 하게 되었다. 직접 현장에 뛰어들어 공부하고 경험하면서 얻은 지식과 기술로 조금씩 부동산 투자에 눈을 뜨게 되었다. 부동산에도 특히 토지에 관심이 많이 가지게 되었다. 부동산이라는 것이 요즘 서울에 아파트 한 채를 사려면 10억 이상의 자금이 필요한데 대출을 받고 이래저래 맞춰도 부동산 시장이 워낙 불안정하고 금리가 올라가는 시점이라 대출을 받아 산다는 것은 엄두도 내지 못하는 실정이다.

그런데 토지 투자는 조금 달랐다. 경기와 상관없이 지역에 따라 다르지만 개발되는 시기에 투자 시기만 잘 맞춰 들어가면 짧은 시간 내에 수익을 내는 방법이 많다는 그것을 알았다. 충분히 소액투자도 가능하다는 것도 알게 되었다.

부동산 투자주는 토지 투자에 대한 매력을 알게 되면서 나는 토지 투자에 많은 관심을 가지게 되었다. 충분히 소액으로 진행할 수 있으며 짧은 시간 내에 수익을 낼 수도 있고, 내가 조금만 공부하면 아주 매력적으로 극적인 수익을 낼 수 있는 투자 방법이었다. 토지 투자는 안전성, 수익성, 환금성을 다 갖춘 매력적인 투자임은 분명한 것이다. 매번 뉴스 때마다 떠들썩하게 나오는 뉴스 기사들도 많다. 윤석열 대통령 장모 사건은 아직도 토지 투자하는 사람들에게는 자주 입에 오르내리고 있는 사건들이다.

또 규제 또한 아파트와 달리 심하지 않을뿐더러 관리와 세금 부분에서도 큰 부담이 없었다. 또 잘 투자하면 땅 투자에서 매달 월세 같은 수입이 들어올 수도 있다.

이제 재테크는 선택이 아니라 필수다.

여러 가지 재테크가 많이 있지만, 토지만큼 안전하고 수익이 높은 투자처는 많지 않은 것 같다. 요즘 젊은 30~40대 친구들은 주식투자를 많이 하고 있다. 특히 접근성이 좋고 환금성이 좋다는 매력이 있어 투자를 많이 하는 것 같다. 그러나 주식도 공부를 많이 해야 한다. 그리고 많은 시간을 투자를 해야 하고 수익이 날 땐 좋지만, 하락장일 땐 잘못하면 내 원금뿐만 아니라 마이너스 빚까

성공 토지투자 비밀☆

지 질 수도 있다. 하지만 땅은 그렇지가 않다. 일단 개발되는 지역의 땅값은 떨어지지 않는다. 그리고 본격적인 개발이 시작하면 몇 퍼센트로 오르는 것이 아니라 2~3배는 기본으로 오르고 진짜 많게는 100배까지 오른 지역도 있다. 그러나 지금은 100까지 오를 수 있는 땅은 많지가 않다. 그래도 개발되는 지역에서 제대로 수익을 낸다면 짧은 시간에 5~6배 정도는 충분히 수익을 낼 기회가 많이 있다. 충분히 공부하고 들어간다면 땅은 실패하는 투자는 없다.

제대로 된 땅 투자 내 인생을 바꿔 놓을 수도 있다. 그래서 인생 역전이라는 말이 여기에 딱 어울리는 말인 것 같다.

땅 부자의 성공전략 TIP(1)

중개소 분위기로 알아보는

투자해도 좋은 곳!

가) 예약 잡기도 힘들고 방문 예약 자체가 어렵다.

나) 중개사사무소 소장이 불친절하다. (투자자 수요가 많아 배짱
장사를 함)

다) 매물이 없다면서 좋은 땅을 보여주지 않는다. (내놓은 땅이
없다)

라) 기획부동산이 많다.- 투자자가 몰리는 곳으로 옮겨 다닌다.

마) 거래가 된 지 얼마 안 된 땅을 사라고 한다- 단기간 시세
차익을 보고 내놓은 매물

투자하면 안되는 곳!

가) 바로 예약과 미팅이 된다. (투자자 수요가 없는 곳이다.)

나) 괜찮아 보이는 땅을 오래 보여준다. (땅 보러 오는 사람이
없다.)

다) 신규중개사무소가 없다. (지역에 아무런 개발 이슈가 없다.)

땅 부자의 성공전략 TIP(2)

땅 부자가 알려주는 좋은 땅 찾는 꿀팁

개발 호재에 관심을 가져라

길이 나는 곳에 돈이 따라온다-IC(나들목) 들어서는 길목,
KTX역, 철도가 생기는 곳, 공항이 생기는 곳.

인구가 늘어나는 곳, 유동인구 생성이 많은 곳-산업단지가
개발되는 곳, 신도시가 개발되는 곳, 관광지로 개발되는 곳 등

현지에 믿을 만한 중개인을 알아 두어라

본인이 관심 있는 지역의 부동산 사무소를 한두 군데 선정해 믿
을 만한 중개인을 두어라.

정확한 시세 파악을 잘하라

땅은 시세가 명확하지 않다. 급등하는 지역에 땅값은 부르는데
값이다. 그렇더라도 대략적인 시세를 파악하는 것이 중요하다. 땅
값을 파악하기 위해서는 부동산 사이트에 올라와 있는 매물들의
시세 파악을 먼저 하라. 네이버 부동산 사이트도 괜찮지만 정확
한 정보를 얻기 위해서는 전문 사설 사이트 땅이야
(ddangya.com)나 디스코(disco.re) 같은 사이트를 참고하는
것도 좋다. 실제로 거래된 가격들을 확인 할 수 있다.

손품, 발품을 팔아라

모든 것이 그렇듯이 땅도 많이 보면 볼수록 좋다. 먼저 인터넷으로 정보를 확인 후 발품을 팔아 그 지역을 확인해야 한다. 인터넷에서 얻지 못한 정보 또는 과장된 정보를 현장에서 듣는 경우도 많다. 특히 동네 주민들과 중개사무소에서 듣는 정보가 매우 도움이 될 때가 있다. 그러므로 내 눈으노 직접 확인하고 발로 땅을 밟아 보아야 한다.

공고와 고시, 정보공개 포털을 잘 활용할 것.

좋은 땅을 미리 선점하고 싶다면 개발 호재를 빨리 알아채고 들어가야 한다. 그러려면 국가기관이 발표하는 공고와 공시를 잘 볼 줄 알아야 한다. 각 지자체나 공기업 등 정부 기관에서 뭔가를 하면 공고 및 고시를 해야 할 의무가 있다. 도로 신설부터, 산업단지 형성에 이르는 대형사업까지는 물론 가로등 설치 등 소소한 사업까지도 모두 고시한다. 아직 발표되지 않은 정보를 알고 싶다며 정보공개 포털을 이용하면 된다. 적극적인 투자자들은 미리 남들과 차별된 정보를 확보하면서 미리 공부하고 준비를 하면서 투자 방향을 잡는다.

뉴스와 신문, 정책 변화에 관심을 가져라

뉴스와 신문을 보면 경제, 정책 부동산 동향까지 나온다. 부동산이 침체기 인지 활황인지 알 수 있을 뿐만 아니라 부동산의 큰 흐름을 읽을 수 있다. 또 부동산 정책이 실생활과 밀접한 관련이 되어 있다. 정책이 바뀔 때마다 부동산 시장이 들썩이는 것도 이 때문이다. 개발정책들은 기획재정부나, 국토교통부에 들어가면 정책에 대한 자세한 정보를 볼 수 있다.

SNS-블로그나 유튜브 활용해라

해당 지역을 전문으로 다루는 유튜브나 블로글 잘 활용하면 매시간을 많이 줄일 수 있다. 내가 손품, 발품 팔아서 직접 찾아야 가**하는 지역의 자료들을 유튜버나 블로그에서 공유를 해주기도 한다.**

2장

왕초보도
한 번 배우면
평생 쓴다!

부동산비젼메신저

부정적인 '심리'로 판단하지 말자. 카더라 주의보! 내 눈으로 확인하자

토지 투자는 기본적인 지식과 정보 그리고 타이밍, 이 3가지만 잘 알고 들어가도 충분히 수익을 올릴 수 있는 시장이다.

왜 사람들은 토지 투자가 어렵다고 생각하고 있을까? 그 이유는 눈에 보이지 않고 같은 시세를 판단할 기준이 없기 때문일 것이다. 이런 시세 판단이 어려운 점을 노려 사기를 치는 경우도 허다한 경우가 많다. 토지 시장은 이전에 워낙 사기가 높았기 때문에 일반인들에게는 당연히 어렵고 두려운 투자시장일 수밖에 없다. 하지만 지금 투자를 하는 경쟁자에 관점에서 보면 아파트 분양권 시장보다 훨씬 경쟁자가 적은 시장이다. 토지 투자를 제대로 하기 위해서는 돈이 되는 땅을 볼 줄 아는 안목이 있어야 한다. 그런 땅을 싸게 사는 방법을 알아야 하고, 그리고 마지막으로 그 땅을 비싸게 제대로 팔아야 한다. 투자의 첫 번째 원칙이 수익을 내는 것이다. 그것을 잊어서는 안됩니다. 절대 나의 돈을 손해를 봐서는 안된다.

모든 투자에서 가장 중요한 것은 '지식'이 아니라 '심리'이다. 내 눈으로 보고 돈이 된다는 걸 알면서도 당장 눈앞에 보이는 것이 없으니 막연한 '불안한 심리' 때문에 선뜻 투자하지 못한다. 그래서 토지 투자는 어렵다. 장기적으로 해야 한다. 비용이 많이 든다. 시세를 알기 어렵다. 환금성이 떨어진다. 잘못 사면 평생 상속해야 한다. 등등 이런 부정적인 말들로 우리의 투자를 가로막는다.

또 수많은 정보도 직접 확인을 하고 확정된 그곳만 투자해야한다. 누가 ～하더라, ～할 것이다. ～예정이다.라는 곳은 신중하게 직접 확인을 하고 제대로 된 정보인지 서류나 정부 관청에 사실 확인을 하는 것이 좋다. 무턱대고 소문만 듣고 투자를 했다가는 낭패를 보는 경우가 비일비재하다. 아주 가끔은 확정되고 공사 60% 공정인 개발이 무산된 일도 있다. 이런 경우는 드물지만 전혀 없다고 할 수도 없다. 그러니 확정되어 개발되고 있는 사업도 무산되는 예도 있는데 확실하지 않은 정보를 믿고 덜컥 투자한다면 누구에게 원망하시겠는가? 정확하게 사실확인을 하고 내 눈으로 제대로 된 정보인지 서류 확인까지 한 후에 투자해도 늦지 않다.

고정관념에서 벗어나고, 부정적인 생각을 없애고, 하더라! 정보는 내 눈으로 직접 확인하고 그러면 '나도 토지 투자 충분히 수익을 낼 수 있겠네'라는 자신감이 생기실 것이다. 앞서 말한 지식과 정보 그리고 타이밍, 이 3가지만 잘 알고 투자하신다면 100% 수익 내는 투자가 된다. 한번 기본기가 갖춰지고 나면 평생을 써먹을 수 있는 재산이 되고 부동산 안목도 높아진다. 여기에 살을 조금씩 붙여서 나의 것으로 만들어 간다면 왕초보에서 토지 중수, 고수 전문

가로 갈 수 있는 길이 열린다. 부동산 부자는 "땅 부자"라는 사실을 잊지 말라. 그것은 변하지 않은

저거 사도 될까?
절대 사서는 안 되는 땅의 조건

토지 투자 왕초보님들이 투자할 때 절대 투자하면 안 되는 땅이 있다. 이것만 알고 투자를 해도 손해를 보지 않고 사기당하는 일이 없다. 토지 투자 매우 어렵다고 하는데 조금만 알면 다른 투자보다 매력적이고 수익성이 높다.

이런 땅! 절대 사지 마라.

1. 선하지, 철탑

토지 위에 고압선이 가설된 토지(송전탑 아래의 토지)를 말한다.

성공 토지투자 비밀☆

ex) 선하지라고 구분이 되어 있었어! 한전에서 어떤 토지 보상을 해준다든지, 전기료를 면제해 준다든지 이런 부분으로 만들어져 있다.

2. 나무로 채워진 땅

<출처: 네이버 지식백과>

나무 베기 : 토지에 자라고 있는 수목 또는 그 집단을 베어내는 행위를 말한다.

산림 안에서 세로줄눈의 벌채를 하려는 자는 시장, 군수, 구청장이나 지방산림청장의 허가를 받거나 신고하여야 한다.

*** 나무를 베는 비용이 더 들고, 허가받기가 쉽지 않다.***

ex) 소나무가 빽빽하게 들어서면 개발하기 힘들다. 소나무는 벌목 허가가 잘 안 난다. 150% 이상이 돼버리면 입목도가 못 베게 되어 있고, 일반 잡목이라든지 이런 것들이 되어 있으면 괜찮다.

3. 공익용 산지

　보전산지 중 하나로, 임업 생산과 함께 재해방지, 수원보호, 자연 생태계 보전, 자연경관 보전, 국민 보건 휴양 증진 등의 공익기능을 위하여 필요한 산지로서 산림청장이 지정한 산지를 말한다.

<허용행위>

　　1. 임산물 생산, 가공, 집화 판매시설 등의 행위

　　2. (본래 임업용 산지에서만 허용되지만, 법을 개정하여 확대)

　　　　　　　　　　　　　성공 토지투자 비밀☆

3. 농림어업인 주택의 증축 및 개축 가능

4. 종교시설의 증축, 개축할 수 있지만, 신축은 불허 등

*공익을 목적으로 한 휴게시설 또는 공익을 목적으로 한 여러 가지 관광단지라든지, 그런 형태밖에 할 수가 없다.

4. 맹지

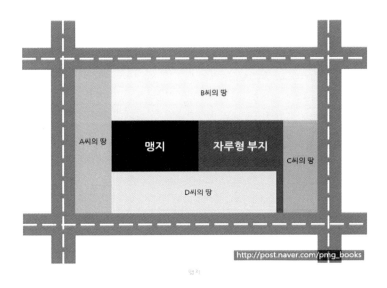

맹지

지적도상에서 도로와 조금이라도 접하지 않은 토지를 말한다. 타지번으로 사방이 둘러싸여 있으므로 지적도상으로는 도로에서 직

접 진입할 수 없으나 실제로는 사람은 다닐 수 있고 차량으로 들어갈 수 없는 토지이다. 맹지와 유사한 개념으로는 '자루형 부지'가 있다. '자루형 택지', '깃발 부지(flag lot)'라고도 한다. 맹지처럼 다른 택지에 둘러싸여 있지만 좁은 통로에 의해 공공 도로와 닿아 있다. 지적도 위에서 보면 물건을 담는 자루 또는 깃발의 모양을 띤다.

5. 인삼밭

　땅을 샀어도 그 위의 인삼은 내 것이 아니다! 인삼밭 주인에게 지상권이 생겨 마음대로 철거라 하지 못한다.!!!

계약서에 별도의 특약이 필요

6. 혐오 시설(축사, 쓰레기 처리 시설, 묘지)

지역주민에게 공포감이나 고통을 주거나, 주변 지역의 쾌적성이 훼손됨으로써 집값이나 땅값이 내려가는 등 부정적인 외부 효과를 유발하는 시설을 의미한다.

7. 바닷가와 가까운 땅

*** 태풍이나 자연재해 시, 피해가 클 수 있음.

*** 해풍으로 인해 건물의 노후가 빠르게 진행될 수 있음.

8. 비오톱 등급

특정 식물과 동물들이 하나의 생활공동체를 이뤄 생존할 수 있는 생물 서식지다. 서울시는 2010년부터 총 5개의 등급으로 비오톱 유형을 구분해 지정하고 있다.

***등급에 상관없이 아무것도 못 한다!!!

9. 개발제한구역

도시의 경관을 정비하고, 환경을 보전하기 위해서 설정된 녹지대로, 그린벨트(greenbelt)라고도 하는데, 건축물의 신축, 증축, 용도 변경, 토지의 형질 변경 및 토지 분할 등의 행위가 제한된다.

***그린벨트 해제의 예측은 할 수 없다!!!

성공 토지투자 비밀☆

10. 경사가 심한 땅

<산림정보 다드림> 참고

현행 산지관리법상 개발 가능한 임야의 경사도는 최대 25도로 되어 있다. 다만, 스키장과 광업 채굴을 위한 공이나 채석장은 35도까지로 허용한다. 골프장도 역시 25도의 규제를 받는다.

*** 대부분의 시 군 구에서는 15도에서 25도까지로 규제한다.

11. 고속도로나 고속철도와 가까운 땅-꼭 구분할 것.

고속도로 나들목, 철도역이 가깝게 생기면 좋다.

꼭 구분하세요!!!

1) IC : Interchange의 약자, '나들목'이라는 의미를 지니다. 고속도로와 국도를 연결하는 출입로 역할을 한다.

2) JC : Junction의 약자, ´갈림목, 분기점´이라는 의미를 지니다. 고속도로와 고속도로를 연결하는 역할을 한다.

© ed 259. 출처 Unsplash

*** IC는 요금소로 고속도로의 진·출입을 쉬워서 좋다!

성공 토지투자 비밀☆

명심! 명심! 또 명심!
이런 땅 절대 사지 마라!

알고 있으면 돈이 되는 꿀팁!

땅 자체는 괜찮은데 권리상 하자가 있는 땅도 피해야 다. 임시등기나 임시압류 등과 해결 하기 복잡한 근저당과 지상권이 있는 경우 잘 분석해야 한다. 말소가 가능한 경우에만 매입을 고려한다. 이 내용은 많이 알려져서 토지를 잘 모르는 분들도 한 번쯤 어디서 들어본 듯한 이야기일 것이다.

여러 경험을 참고삼아 사례별로 사면 안 되는 땅의 사례를 한번 살펴보자.

첫 번째는 기존 주유소 등을 하는 토지는 가끔 싸게 나오는 경우가 있는데 이런 경우 다른 용도로 사용하고자 하면 토지 오염검사 및 복구가 필수이다. 그 비용이 땅값보다 더 비싸게 들어갈 때도 있으니 꼭 확인하고 매입을 해야 한다.

두 번째는 국도변에 접한 토지주는 접도구역에 저촉되는 면이 많은 토지는 손해를 본다. 접도구역에 포함된 면적이 크면 그만큼 개발행위나 건축행위가 불가능해 손해를 보게 된다.

대지건물비율과 용적률 산정 때에도 접도구역에 포함된 면적은 제외되니, 토지의 효율성이 떨어진다. '

접도구역 건축·형질변경 등 행위제한
토지·시설 등에 대한 각종위험 예방조치

세 번째는 교차로 영향권이다. 교차로 연결허가 금지구간이 있다. 이 경우는 도로에 접하더라고 건축할 수 없습니다. 실제로 대로를 접한 코너 토지인데 건축하다가 허가가 안 나는 맹지도 있다. 만일 도시계획시설 도로라면 교차로 영향권이 없다. 그러나 어떤 토지에 교차로 영향권이 있느냐, 없느냐보다는 그 도로에 연결허가 여부를 따져봐야 한다. 즉 인허가 여부는 도로 이용 상태 등을 고려해 녹지지역과 비도시지역, 주간도로, 자동차전용도로에 연결되는 도로개설 여부를 반드시 확인하는 절차를 거쳐야 하고, 토지

도 실제 건축 가능 면적 여부를 사전에 확인 후 매입해야
한다.

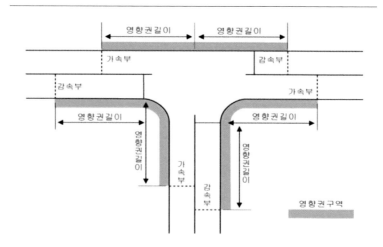

　이렇게 상세하게 들어가서 보면 절대 사면 안 되는 땅
이 많다. 토지 공부를 해야 하는 이유가 이런 땅을 사지
않기 위해서이다. 반면 절대 사면 안 되는 땅을 피하고 토
지 투자를 하게 된다면 바로 싸게 사서 비싸게 팔 수 있
는 대박 토지가 될 수 있다.

땅의 연봉은 용도 지역이 결정!
실제 용도를 확인하라.

땅의 연봉을 결정하는 건 지목이 아닌 '용도지역'

부동산 중에 상대적으로 가격이 떨어질 확률이 낮은게 토지다. 지금까지 떨어진 토지가 거의 없다고 보면 된다. 완전히 한정된 재화이기 때문에 결국, 수요 대비 공급이 부족한 토지의 용도지역을 알아놓으면 토지 투자수익을 올리는 데 많은 도움이 될것이다.

'용도 지역' 그 가치를 제대로 알고 투자를 한다면 투자가 쉬워진다. 모든 토지에 가장 수요가 많은 상품인 아파트를 지으면 될 텐데 어떤 땅에는 왜? 오피스텔을 짓는지만 알아도 토지 공부를 한 효과가 있는 것이다. 아파트는 주거지역에, 오피스텔은 상업지역에만 건설할 수 있기 때문이다.

토지는 늘 따라다니는 신분이 있다. 그것을 용도 지역이라고 한다. '용도'란 '쓰이는 길', '쓰이는 곳'이라는 의미다. 결국, 용도 지역은 땅의 쓰임을 정해 놓은 것을 의미한다. 우리나라 국토는 쓰임에 따라 다양한 용도 지역으로 나뉘어 진다.

토지투자자라면 모든 땅은 하나의 용도지역을 갖고 있다는 사실을 알아야 한다. 용도지역이 없는 땅은 없다. 용도 지역을 두 개 가진 땅 또한 없다. 간혹 한 개 필지에 두 개 이상의 용도지역이 있는 경우가 발견되지만, 서로 다른 분야일 경우만 가능합니다.

땅의 신분 "용도지역"

　토지에 접근 시 보기에는 큰 차이점을 느끼지 못하겠지만 모든 땅에는 각각 다른 용도를 갖고 있다.
거기에 맞춰 대지건물비율이라든지 용적률, 그리고 건물을 지을 때 높이까지 결정하게 되는 것이다.

　　용도지역, 용도지구, 용도구역이란 말을 들어보적이 있는가? 이 같은 용어가 낯선 분들일지라도 부동산 기사를 유심히 읽어봤다면 이들 용어의 세부 단어인 '일반주거지역', '개발제한구역' 등은 들어보았을 것이다. 이러한 분류는 모두 토지 투자시 매우 중요하게 고려되는 사항이다.

　　토지 투자를 하려는 왕초보 투자자라면 꼭 알아둬야 할 용어인 용도지역, 용도지구, 용도구역에 대해 알아보자.

◆ 용도지역, 용도지구, 용도구역 분류 이유는?

　　　　　　　　　　성공 토지투자 비밀☆

우리나라의 국토는 토지의 이용 상태와 특성, 미래 활용방안, 지역 간 균형 등을 고려하여 관리되고 있다. 이에 따라 토지의 성격을 정하고 성격에 맞는 활용 기준을 제시한 것이 '국토의 계획 및 이용에 관한 법률'인데요. 해당 법률은 전국의 모든 토지를 '용도지역'으로 분류하는 한편, 특별히 효율적으로 관리해야 할 토지에 대해 '용도지구', 및 '용도구역'을 지정하고 있다.

◆ 토지이용의 기본적인 구분 단위 '용도지역'

용도 지역이란 토지의 이용 및 건축물의 대지건물비율, 용적률, 높이 등을 제한함으로써 토지를 경제적, 효율적으로 이용하고 공공복리 증진을 도모하기 위해 도시 관리 계획으로 결정하는 지역을 말한다. 즉 해당 토지에 어떤 건물을 어떻게 지을 수 있는지에 대한 기준이 되는 것이다.

도시지역은 크게 주거지역, 상업지역, 공업지역, 녹지지역으로 나뉘며, 도시 외 지역은 관리지역, 농림지역, 자연환경 보전 지역으로 분류된다. 보통 국립공원과 같은 자연환경 보전 지역은 한번 지정되면 바뀌기 힘든 것과 달리, 녹지지역 및 관리지역은 부동산 경기나 정부 정책 등에 따라 용도변경이 이뤄지기도 한다.

구분	용도지역	지정목적
도시지역	제1종 전용주거지역	단독주택 중심의 양호한 주거환경 보호
	제2종 전용주거지역	공동주택 중심의 양호한 주거환경 보호
	제1종 일반주거지역	저층주택을 중심으로 편리한 주거환경 보호
	제2종 일반주거지역	중층주택을 중심으로 편리한 주거환경 보호
	제3종 일반주거지역	중고층주택을 중심으로 편리한 주거환경 보호
	준주거지역	주거기능 위주로 일부 상업기능과 업무기능을 보완
	중심상업지역	도심/부도심의 상업기능과 업무기능 확충
	일반상업지역	일반적인 상업기능과 업무기능을 담당
	유통상업지역	도시 내 지역간 유통기능의 증진
	근린상업지역	근린지역에서의 일용품과 서비스의 공급
	전용공업지역	주로 중화학공업, 공해성 공업 등을 수용
	일반공업지역	환경을 저해하지 않는 공업의 배치
	준공업지역	경공업 등을 수용하되 주거/상업 업무기능 보완
	보전녹지지역	도시의 자연환경/경관/산림/녹지공간을 보전
	생산녹지지역	주로 농업적인 생산을 위해 개발을 유보
	자연녹지지역	도시 녹지공간을 보전하는 범위 내에서 제한적 개발 허용
도시외지역	보전관리지역	환경보호, 수질오염방지, 녹지공간 확보 등을 위해 관리
	생산관리지역	농업/임업/어업 생산 등을 위해 관리
	계획관리지역	도시 편입이 예상되거나 자연을 고려한 제한적 이용
	농림지역	농림업을 진흥시키고 산림을 보전
	자연환경보전지역	자연환경/수자원/해안/생태계/상수원/문화재 보전

성공 토지투자 비밀☆

<전용주거지역>
- 제1종 전용주거지역 : 단독주택 중심
- 제2종 전용주거지역 :공동주택 중심

<일반주거지역>
- **제1종 일반주거지역 : 저승 주택(4층 이하의 주거환경)**
- 제2종 일반주거지역 : 중층 주택(18층 이하 아파트)- 지역에 따라 차이가 있음
- 제3종 일반주거지역 : 고층 주택 중심(20층 이상의 고층 아파트)

<준주거지역>

주거 위주+업무, 상업 보완/ 제일 높이 건축 가능(주상복합센터 등)

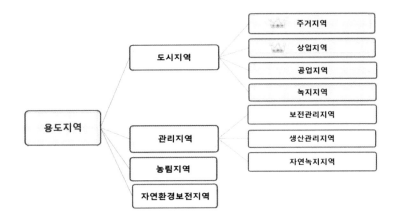

* 용도라는 것은 국토부에서 5년마다 도시개발법에 따라 국토부에서 용도변경이 진행된다. 구청이나, 시청에서 임의로 변경할 수 없다.

일명 땅의 계급이라고 생각하면 된다.

상업지역> 주거지역> 공업지역> 녹지지역=관리지역> 농림지역> 보전녹지 지역 대충 상황에 따라 조금씩 바뀌기도 한다.

성공 토지투자 비밀☆

'토지 이음'만 알아도 성공 투자
알고 보면 쉽다! 사용 방법 및 분석법

토지 이음은 국토교통부에서 운영하는 ´미래의 도시계획´ 및 ´현재의 규제정보´ 제공을 위한 공공 서비스다.

예전보다 요즘은 인터넷의 발달로 토지 투자를 할 수 있는 환경이 매우 좋아져 집에서 모든 것을 확인 할수 있다. 인터넷으로 투자할 땅을 찾고 공부상 서류 확인 및 현황 로드뷰 확인 등 흔히 손품이라고 하는 검색과 서류 확인 과정이 책상 앞에서 원스톱으로 가능해진 시대다. 예전에는 직접 발로 뛰어 관공서에 찾아가 서류도 발급받고 확인하던 사항들이 이제는 컴퓨터와 휴대전화기로 확인을 할 수가 있어 임장전 필히 손품팔아 확인을 하면 시간도 단축된다.

그중에서 토지이용규제정보서비스와 도시계획 정보시스템을 통합한 '토지 이음'은 일반인들이 토지 투자를 하는데 필수적인 사이트로 많이 알려져 있다. 토지 이음에서 대부분의 공법적 규제사항을 확인할 수 있다. 현장에 나오기 전 내가 투자할 땅을 일차적으로 분석하고 투자할지, 말지를 판단할 수 있다.

토지 이음에서는 지목, 면적, 개별공시지가, 용도 지역, 용도지구, 용도구역, 각종 행위 제한 등 무수히 많은 토지규제 관련 사항들을 확인 할 수 있다. 이런 규제를 통해 내가 투자할 수 있는지 아닌지를 책상 앞에 앉아서 충분히 결정할 수 있어 시간적 투자를 줄일수 있다.

토지 이음의 주요 서비스는 4가지로 볼 수 있다.

1. 토지이용 계획
과거, 현재의 토지 지정현황과 토지이용 규제정보를 확인할 수 있다.

2. 규제 안내서
토지이용 행위 절차, 과정, 관련 서류 등도 안내해 주고 있다.

3. 도시계획
미래의 도시 개발 계획과 도시계획 현황 정보를 확인할 수 있다.

4. 고시정보
결정 고시, 지형도면 고시, 실시 계획 인가 고시 등 고시문과 도면을 확인할 수 있다.

1) 열람하고자 하는 필지의 지번 조회

-필지의 지번 또는 도로명 검색하기

-대상 필지의 지번을 선택하며 입력하기

-지도를 확인하며 조회 대상 필지 선택하기

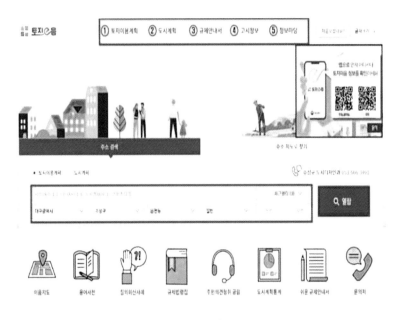

토지이음 초기화면

2) 정보 이용 기능

 -필지의 규제 현황 및 행위 제한 내용, 행위 제한 내용 설명 이용 가능

 -필지별 관련 정보 열람 기능

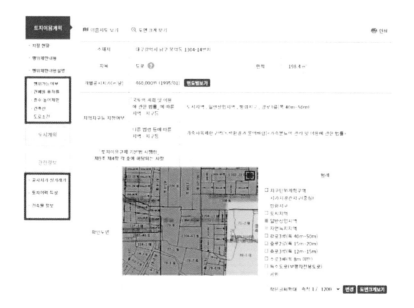

3) 필지 기본 정보 및 지역. 지구 지정현황

 -필지의 지목, 면적 및 공시지가 조회하기

 -지역. 지구 지정현황 조회하기

 -10년간 개별공시지가 변동 내용 조회하기

4) 이음지도

 -부동산 종합공부 시스템의 도면 출력하기

 -범례 및 축적 변경하기

 -확대 버튼 클릭 시 이으지도 서비스 연결하기

성공 토지투자 비밀☆

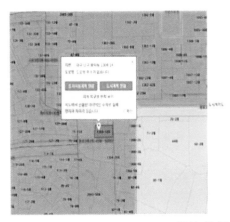

시설번호 비교사진

5) 행위 제한 내용
 -해당 필지에 지정된 지역 지구에 대해 행위 제한의 근거 법령 서비스 이용하기
 -새 창 보기 버튼 클릭 시 규제법령집 서비스 연결하기

*요즘 새로운 플랫폼이 많이 나오고 있지만 대략 토지나 건물을 알아볼 때 가장 정확하고 빠른 서비스는 토지 이음이라고 생각한다.

3장

실패 없는
처음소액 토지투자
성공 공식 (1)

부 동 산 비 젼 메 신 저

소액으로 큰 수익을 내는 법
토지 투자 333 법칙!

2023년 3월에 국가 산업단지가 발표되고 나서 용인, 천안, 아산 등 산업단지가 들어가는 곳에 땅값이 오르면서 토지 투자에 관심이 높아지고 있다.

◆ 토지 투자 333 법칙

1) IC, 산업단지, 군청 등 행정센터 개발지로 3km 이내의 땅을 사라.

가장 우선순위는 IC가 들어설 예정 부지라고 보면 된다. 땅은 도로를 따라 개발이 되기 때문이다. 특히 IC 주변이 가장 빨리 개발된다고 보면된다. 그리고 개발되는 지역의 3km 이내의 땅을 사야 한다. 8km를 벗어나 더 싼 땅을 사면 수익률이 더 크지 않을까? 라는 생각을 많이 하지만 벗어난 지역은 개발이 더 오래 걸릴 수도 있고 장기간 보유를 해야 한다.

또 소액이라면 보통 3~5천 정도 투자를 하는게 좋다. 한곳에 자금을 다 쏟아붓고 기다리는 거보다 분산투자를 하는 것이 위기관리가 쉽고 결과적으로 수익률이 높다. 옛말에 계란 전체를 한 바구니에 담지 말라는 말이 있다. 모든 투자가 같은 공식이라고 보면 된다. 주식뿐만 아니라 부동산도 그렇지만 토지 투자도 분명 분산투자를 하는게 위기관리에 많은 도움이 된다.

2) 산업단지 개발, 도시개발이 될 때 3번의 상승기회가 있다.

첫 번째가 개발 호재가 발표되고 난 후 약 3년간 3배 이상의 지가가 상승을 한다. 두 번째로 확정되고 착공이 들어가면 또 3년간 3배 이상의 지가가 상승한다. 세 번째 착공 후 공사가 진행되고 준공이 되면 또 3년간 3배 이상의 지가가 상승이 된다. 이렇게 봤을 때 3년 3년=10년 이내에 3*3*3=27배 상승의 기회가 있다. 확실한 정보를 가지고 타이밍을 잘 알고 때를 맞춰 들어가면 큰 수익을 낼 수도 있다. 그래서 토지 투자의 333 법칙이 9배가 아니라 땅이라는 것은 개발이 될 때마다 수직상승을 하기때문에 일찍 들어가면 초기 투자금의 333법칙이 아니라 더 많은 수익을 안겨다 주기도 한다.

3.3의 지가 상승이 9배가 아니라 곱하기 연산으로 계산을 하면

상승 폭이 생겨 27배라는 숫자가 나온다. 그렇기 때문에 땅이라는 것은 내가 생각지도 못한 수익을 올릴때가 많다.

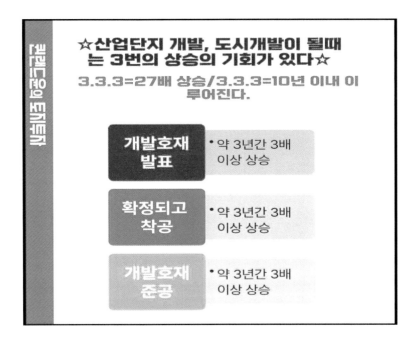

예전에는 제대로 토지 투자에 들어가면 100배, 1,000배까지 오른 지역도 있지만, 지금은 그렇게까지 수익을 볼 수는 없다. 그래도 최소한 토지 투자를 제대로 한다면 기본 3~5배는 충분히 수익을 낼 수도 있다. 그래서 다른 부동산 투자보다 토지 투자의 수익률이 높다고 할수 있으며 다른 어떤 투자보다도 매력적인 것이 토지 투자 인것 같다. 조금만 알고 들어간다면 실패하는 토지 투자는 거의 없다고 생각한다. 앞서 말했듯이 토지 투자의 가장 큰 위험이 시간적 투자이다. 땅이라는 것은 제대로 투자를 한다면 떨어지는 경우는 아주 드물다고 생각하면 된다. 개발될 지역의 땅은 시간적 투자가 어느 정도가 되느냐의 차이이지 시간이 흐르면 땅값은 오를 수밖에 없다.

그래서 소액투자를 하는 사람들은 개발로 인해 토지 보상의 기회가 충족되면 최대의 투자 효과를 올릴 수 있다. 개발입지가 확실한 곳의 최우선 여건이 바로 인구가 지속적으로 유입이 되는 지역을 선택해야 한다. 이렇듯 인구 유입이 되는 곳에 소액투자를 하면 실패 없는 투자가 될 것이다. 소액이라고 해서 가격이 싼 땅에만 투자하는 것이 아니라 개발이 될수 있는 확실한 곳에 투자를 해야 한다는 것을 명심해야 한다.

확인된 곳에서 확실한 수익을 잡아라!

토지 투자를 하려는 사람들에게 인기 있는 곳은 뭐니 뭐니 해도 수도권 지역의 도시지역 내 녹지지역, 비도시 지역의 관리지역에 있는 밭(전), 논(답), 경사도가 얕은 임야(산)다. 그중에서도 입지가 좋은 도시지역의 용지로 개발 압력을 받는 밭과 논, 임야를 사야 돈을 벌 수 있다.

밭과 논, 임야는 집에 비해 쉽게 팔리지는 않는다. 환금성이 떨어지는 것이다. 집은 사람이 살아가는데 필수요건인 의식주에 포함되는 만큼 찾는 사람도 많지만, 밭과 논, 임야는 집을 가진 사람이 여유자금으로 투자를 할 때 찾기 때문에 찾는 사람이 그만큼 적다는 뜻이다. 그러므로 밭과 논을 살 때는 찾는 사람이 많아 비교적 쉽게 팔 수 있는 땅, 그리고 더 비싼 가격에 팔 수 있는 땅을 골라야 한다. 그렇다며 어떤 밭과 논이 쉽게, 또 비싸게 팔 수 있는 땅일까? 먼저 대 도시에서 40km 이내에 있는 밭과 논이 좋다. 도시 인근의 논 반은 주 5일 근무나 전원주택의 수요로 인해 미래에 주거지역이 될 가능성이 크기 때문이다. 특히 1~2억 대로 필지를 내가 눠서 팔 수 있는 밭과 논 거래가 가장 선호를 한다. 만약에 밭과 논을 큰 덩어리로 한 지역에 몰아서 사 놓을경우 나중에 해당 지역이 토지거래 허가구역으로 묶이게 되면 해당 밭이나 논을 팔기가 어려워진다. 그러므로 가능하면 소액으로 여러 지역의 토지를 사는 것이 좋다. 그러면 설사 한 곳이 토지거래 허가구역으로 묶이더라도 돈이 필요할 때 다른 곳에서 사들인 땅을 쉽게 팔 수가 있다. 다시 말하면 앞서 말했듯이 달걀을 한 바구니에 담지 말라는 뜻이고 분산투자를 하는 것이다.

◆ 확인된곳에서 확실한 수익을 잡아라!

요즘은 수도권 지역에 토지거래 허가구역으로 묶인 곳이 많아 수도권에 토지 투자가 쉽지는 않다. 가능하지만 그만큼 땅값도 많이 상승해 수익 폭이 적을뿐만아니라 규제가 많아 투자하기가 어렵다. 그래서 요즘은 수도권 인근에 붙어 있는 지역의 대기업이 들어가는 곳, 국가 산업단지가 들어가는 곳을 찾아 그 주변에 용도 변경된 땅에 투자를 하는 것도 좋다. 대기업이나, 산업단지가 들어가는 곳은 일자리가 늘어나고 인구 유입이 될 수밖에 없으므로 당연히 용도 변경된 곳의 땅값은 개발할 수밖에 없다. 또 토지 투자의 단점인 시간적 위험을 줄일 수 있는 확실한 투자처이기도 하다.

앞으로는 서해안 쪽으로 관심을 가져 보면 좋을 것이다. 지금도

당진쪽도 많이 개발이 되어 땅값이 많이 상승이 되었지만 그래도 투자 할곳은 남아 있다. 대기업이 들어가고 인구가 늘어나는곳은 빠르게 개발을 하기때문에 시간적 리스크도 많이 줄어든다. 토지 투자에 관심이 있다면 그 지역을 관심 가져 보면 좋을 것이다. 정부에서도 지역 균형 발전의 정책을 펼쳐 개발하고 있는 중이다.

예전에는 수출로 먹고 사는 나라이기 때문에 미국수출이 대부분이었기 때문에 부산항을 가는 경부선 라인 많이 개발되었다. 경부고속도로를 뚫어 부산항을 통해 미국, 일본, 유럽으로 수출을 했다. 하지만 지금은 시대가 바뀌어 이제는 중국과 인도 등 수많은 인구를 가지고 있는 나라들을 겨냥하고 있다. 부산항에서 배를 띄워 중국과 인도를 가기에는 너무 큰 비용이 발생한다. 그래서 수도권, 인천, 충청남도를 개발하는 것이다. 특히 서해안 쪽으로 개발을 많이 하고 있으며, 교통편이 불편했던 서해선쪽으로 고속도로가 많이 신설이 되고 있으며, 앞으로는 서해선 라인으로 개발이 당분간은 이루어 질것이다.

서해선 복선전철도 2024년 완공 개통 예정이고, 천안~당진과 고속도로도 진행 중이며, 부여~평택~익산 서부내륙고속도로 공사 진행 중이다. 그러면 교통인프라가 형성되면 주변 지역의 개발은 같이 따라온다. 정부에서도 기업하기 좋은 도시로 충남을 선택했다. 앞으로 서해선 라인 쪽으로 개발이 많이 될 것이고 이미 많은 곳이 개발진 행이 되고 있다.

돛단배 원리를 이해하라! 길 따라 돈이 흐른다.

새로운 교통 노선 개통은 교통시설 부족으로 저평가 되었던 지역에서는 최고의 호재로 꼽는다. 부동산 시장이 침체해 있는 상황에서도 길이 놓이거나 도로, 철도가 뚫리면 주변 땅값고 집값은 자연스레 상승한다.

특히 지하철의 경우 불확실성이 크고 위험성이 높은 요즘 부동산 시장 상황에서 실수요자는 물론 투자자도 투자 여부를 결정할 수 있는 가장 확실한 재료다. 또 철도역사가 생기는 곳도 마찬가지다. 역이 생기면 해당지역을 변화시키고 해당 지역의 가치를 끌어올리는 최고의 호재이며, 인구 유입을 가장 빠르고 높게 만들어 주는 부동산의 특급 호재다.

부동산정보업체 부동산뱅크에 따르면 강남을 연결하는 지하철 9호선이 2009년 개통 이후 1년간 서초동 주변은 약 37%, 염창동 약 15%, 목동 약 14%가 오른 것으로 조사되었다.

또 저평가 되었던 인천 검암이나 계양구의 경우 2010년 12월 서울 도심을 연결하는 인천 공항철도가 개통 후 전세금이 2010년

3분기에 전용 3.3㎡당 326만7000원에서 2012년 2분기에는 396만 원으로 21.2%나 상승하기도 했다.

◆ 길따라 돈이 흐른다.

새로운 역이 생기게 되면 새로운 인구가 유입되고, 이에 따른 상권 등 각종 기반 시설도 잘 갖춰지게 된다. 지역에 따라 차이가 있지만, 역이 새로 생기면 그 주변 집값은 보통 개통 직전 10%, 개통 후 10~20% 정도 오른다. 하지만 땅값은 몇%로 오르는 것이 아니라 몇 배에서 많게는 수십 배로 오르기 때문이다.

이 때문에 신규산업단지 개발이나 기업이 몰리는 곳, 신도시가 진행되는 곳들은 투자가치가 충분히 있다. 현재는 낙후되고 인구도 적고 불편하지만 그런곳은 가까운 시기에 기업과 인구가 몰릴 것으로 예상되는 지역에 철도를 신설하는 예도 있다. 이런 지역이 부동산 투자의 명소가 되며 토지 투자의 좋은 지역이라 할 수 있다.

철도는 시간과 공간을 바꾸는 힘이 있다. 다른 대중교통이 한 시간 걸리는 것을 철도는 30분으로 단축하는 힘이 있으며, 부동산에서는 시간이 단축된다는 것은 어마어마한 호재라고 보면 된다. 그 편리성이 곧바로 땅값의 상승으로 이어지기 때문이다. 그만큼 시간적 위험이 단축된다는 것을 말한다.

따라서 내년에 철도가 새로 생기는 지역은 부동산 투자에 관심이 있거나 생각 중인 분들에게는 반드시 확인해야 할 노선이고 지역이다. 특히 대기업이나, 산업단지가 들어가는 개발지역에 철도역이 생긴다면 그 주변의 땅값은 상상 이상으로 올라갈 것이다. 길이나는 곳은 개발이 될 수밖에 없으며 교통인프라가 형성되면 대기업도 따라온다는 걸 알 수 있다.

◆ 돗단배의 원리를 이해하라!

고속도로 나들목 주변 역시 땅 부자들이 선호하는 투자처다. 지역과 지역을 빠르게 잇는 고속도로는 나들목이 없으면 들어가고 빠져나올 수가 없다. 때문에 나들목 주변으로 차량이 몰리게 된다. 차량 통행이 잦다는 것은 사람들이 많이 다닌다는 뜻도 되기 때문이다. 또한, 물류의 이동이 활발히 이루어진다는 의미로 보면 된다. 따라서 통행이 잦은 나들목 주변에는 음식점과 주유소가 많아지고 그주변이 활성화가 되면서 땅값은 같이 상승한다. 공장과 창고도 많다. 곧바로 고속도로를 출입이 가능함으로 물류 이동 시간을 줄일 수 있기 때문이다. 이런 이유로 고속도로 인터체인지(IC) 가까운 땅과 차로 30분 이상 걸리는 거리의 땅의 가격 차이가 생각보다 크다고 생각하면된다. 항만이나 공항과 가까운 곳의 나들목이라면 그야말로 흥행 보증수표라고 할 수 있다.

결국, 부동산 투자에서 첫 번째로 뽑는 것이 어디, 어느 지역을 막론하고 가장 중요하게 생각하는 것이 '길'에 관한 것이다. 이것을 역으로 생각하면 '길이 좋은 땅은 바로 돈이 되는 땅'이라는 것이다. 그래서 토지 투자를 제대로 한다면 옛말에 인생 역전이라는 말도 틀린 말이 아닌 것 같다.

대기업과 산업단지로 가득한 지역은 황금빛

땅을 비롯한 부동산은 사람이 있어야 개발되고 가치가 올라간다. 강남 번화가의 땅과 강원도 오지의 땅 가격이 차이가 나는 것은 바로 인구 유입이 얼마나 늘어나는지의 차이다. 땅 부자들은 이런 사실을 잘 알고 있다. 그래서 산업단지가 개발되는 인근의 땅에 투자를 많이 한다. 대기업이 들어가는 곳, 산업단지가 지어지면 수많은 사람이 유입되어 도시를 이루고 주변 인프라가 형성되면서 번창하기 때문이다.

'대기업'은 지역을 춤추게 한다.

대기업이 들어서는 곳은 죽은 도시를 살리고 한적은 농촌을 대도시로 발전시킨다. 일자리 창출로 인구 유입을 늘리고 쓸모없던 불모지 땅들도 귀한 신분으로 탈바꿈 시켜준다.

이 때문에 신규산업단지 생기고, 기업이 몰리는 곳은 현재는 낙후되고 인구도 적고 불편하지만 가까운 시기에 기업과 인구가 늘어남으로써 개발할 수밖에 없다.

성공 토지투자 비밀☆

지방의 허허벌판에 3만 명의 일자리가 창출되는 대형 산업단지가 생긴다고 가정을 하면, 먼저 3만 명이 먹고 잘 수 있는 주거 공간이 필요하다. 그리고 이들이 밥도 먹고 생필품을 살 수 있는 편의시설이 필요하다. 그러면 마트나, 식당도 들어서게 되고, 사람이 먹고만 살 수 없듯이 놀 거리도 생겨야 하고, 아프면 병원도 가야 한다. 인구가 늘어나면서 필요한 생활 인프라가 확장되어 큰 도시로 새로 발전하게 된다.

그래서 대기업 삼성이 들어가면서 동탄역 주변의 땅값이 100배가 상승한 곳도 있다. 경기도 평택은 삼성전자 입주로 평범한 농부가 건물주가 되고, 땅값 폭등으로 많은 땅 부자가 생겼다. 평택에 삼성전자가 들어가면서 그 주변의 땅값이 몇만 원 하던 땅이 지금은 몇천만 원을 훌쩍 넘는 일도 있고, 지제역 주변도 몇십만 원 하던 농지가 그것도 용도가 바뀌지 않는 농지인데도 8백만 원을 훌쩍 넘는 곳도 많다.

지난 3월에 국가 산단이 발표되고 삼성이 용인 처인구 300조 투자한다는 발표로 인해 용인 처인구의 집값뿐만 아니라 그곳의 땅값이 수직 상승을 하였다. 실제로 대기업이 들어가는 곳 산업단지가 개발되는 곳은 인구를 몰고 가기 때문에 '마르지 않는 상권'으로 시공사들이 눈독을 들이는 곳이기도 하다. 과거 기업이 머문 도시의 토지 시세와 확인을 해보면 지금 매입할 물건의 미래 가격이라는 걸 알게 된다.

지금 서해안 개발은 세계와 연결되는 바닷길을 조성해 중국과 가까워진 '환서해경제권'의 중심지역으로 급부상하고 있다. 천안, 아산과 더불어 '아시아 최대 첨단 산업 특화단지'를 전남 조성 중이며, 대한민국 미래전략산업의 정착을 위해 꾸준히 산업단지가 조성되고 있다. 아산과 천안은 미래 산업단지가 들어서는 곳이며, 토지 투자의 명소가 될 것이다.

첫째 특화된 산업단지를 중심으로 생태복합 신도시를 형성.

미래 첨단 산업단지는 시설 면에서 '4차 산업혁명 시대'에 대응할 첨단시스템과 스마트 인공지능 기반에 자연과 환경을 고려한 친환경 산업단지로 변화할 것이다.

둘째, 대기업 유치로 원활한 교통인프라 형성.

성공 토지투자 비밀☆

'기업을 유치하면 도시가 성장한다'라는 말을 들어보았을 것이다. 실제로 전국은 대기업유치에 전쟁이다. 기업을 경영하기 좋은 곳이면 사람이 몰려 도시를 살아 움직이게 한다. 그러므로 기업을 유치하기 위해 관련된 시에서는 편리한 교통망을 최우선으로 개발한다. 대기업, 산업단지 중심으로 교통망이 형성되기 때문에 전국으로 연결되는 교통망을 이해하면 돈이 될 투자처가 보일 것이다.

셋째, 클러스터화 전략으로 산업단지 주변으로 많은 협력사가 몰린다.

'산업 클러스터화'라면 업무의 효율을 높이기 위해 같은 업종끼리 묶어 집단화가 형성되는 것이다. 따라서 산업단지 주변에 수많은 협력사를 동반 입주하게 되기 때문에 주변 공장과 물류창고를 미리 선점하는 것이 빠른 환금성을 보장받을 것이다.

이 모든 과정이 바로 '개발'이라고 보면 된다. 주택과 상가가 지어지고, 교통편의를 위해서 도로가 확장되고, 고속도로가 생기고, 역이 들어서게 된다. 그러면 땅값은 수직 상승을 할 수밖에 없다. 개발될 여지가 있는 땅을 사야 하는 것은 이 때문입니다. 땅 부자들은 이런 부분에 대해서 여러 각도로 정보를 모으고 개발 호재가 있는지 재빨리 캐치하고 현장에 직접 나가 눈으로 직접 확인을 한다.

4장

실패 없는
처음소액 토지투자
성공 공식 (2)

부 동 산 비 젼 메 신 저

부동산 초보도 OK.
지분투자의 매력을 알아보자.

토지는 재테크 투자처로 손색없는 좋은 소재다.

규제가 없고 안정성이 높아 장, 단기적으로 보았을 때 장점이 많다. 하지만 이 또한 자본을 가지고 있을 때 이야기이다. 많은 사람이 토지를 돈벌이 수단으로 보기 시작하는 시점부터 토지를 소유하기 위해서는 그만큼 비용도 많이 필요하기 마련이다. 그렇다 보니 지분을 나누어 공동지분 투자가 늘어나고 있다. 특히 30~40대 직장인들이 소자본으로 투자계획을 세우고 계신 분들께는 좋은 투자 방법이 될 수도 있다.

최근 소액으로 토지 투자를 생각하시는 분이 많아지고 있다. 토지 투자의 기본은 단 필지 투자지만 문제는 초기자금이다. 소액으로도 좋은 필지를 살 수 있다면야 상관없지만 싸고 좋은 땅은 없기에 소액으로 좋은 필지를 사기에는 선택에 한계가 있다. 때문에 비교적 소액으로 투자가 가능한 지분투자에 관심이 커지고 있다.

"좋은 토지를 소액으로 투자할 수 있다"

지분^투자 持分投資

예문 열기

1. 경제 공유물이나 공유 재산 따위에서, 공유자 각자의 몫을 투자하는 일

   OO 은행이 OO, OO 등과 손을 잡고 협력업체에 대한 지분 투자에 나선다

   출처 ›‹ 서울경제신문 2011년 11월 ›‹

지분투자의 사전적인 의미다.

"**공유물이나 공유 재산 따위에서, 공유자 각자의 몫을 투자하는 일**"

공유지분은 하나의 필지에 여러 사람의 소유자가 생기는 걸 말한다. 예를 들어 1,000평의 토지가 있다고 가정했을 경우 천평의 토지를 한사람이 소유하는 예도 있고, 그 1,000평의 토지를 100평씩 10명씩 나눠 가지는 지분투자가 있다. 흔히들 잘못된 정보를 알고 있는데 이렇게 여러 명의 소유자가 있다 보니 나중에 팔려고 할 때 주변 사람의 동의를 구해야 땅을 팔 수 있다는 잘못된 정보를 갖고 계신분들이 있다. 실제로 매매를 할때 다른 공유자의 동의가 없어도 거래가 가능하다.

이는 민법 263조에도 잘 나타나고 있다. 하나의 물건에 여러 사람이 소유하고 있지만, 그 재산권을 처분 하는 데는 전혀 아무런 결함이 없다는 내용이 담겨 있다.

또 토지를 처음 투자하시는 데 있어서 목적이 상당히 중요하다. 만

약에 토지 위에 건축행위를 한다고 한다면 절대 공유지분 투자를 하면 안다. 왜? 내 땅의 위치가 정해져 있는 것이 아니기 때문에 그 위에 건축물을 지을 수가 없기 때문이다.

물론 돈이 많다면 단독 필지를 매입하는데 맞다. 또 투자금이 많이 들어가는 지역의 토지라면 오히려 단독 필지보다는 공유지분의 투자가 현명한 투자가 될 수도 있다.

장점: 소액으로 투자 가능
단점 : 가치의 저평가

공동지분투자의 장점을 정리해보면 두 가지 정도로 볼 수 있다.

첫 번째 소액으로 투자할 기회
두 번째 여러 명의 자금을 합쳐 넓은 토지를 한꺼번에 사들이어 토지개발에 포함될만한 가능성을 높일 수 있다는 점.

지분투자의 단점인 가치의 저평가와 환금성이 떨어진다는 단점이 있다. 그렇지만 확실한 것은 호재가 분명하다면 지분투자의 장점은 더 크게 발휘될 수 있다는 점이다.

개발 호재가 많은 지역, 인구가 늘어나는 지역, 수요가 많은 지역 등등 다 중요하지만, 최소이자 필수 조건은 바로 "도로"다. 이런 조건이 갖추어져 있는 지분투자라면 위험은 거의 없다고 보면 된다.

공유지분투자 시 주의할 점

    역세권이나 지구단위계획일 때 환지받을 확률이 높아서 공동 지주가 많아도 크게 상관없지만, 임야와 같은 미개발토지는 너무 많은 인원이 공동투자로 지분을 나누게 되면 추후 분쟁의 소지가 그만큼 커진다는 위험성이 있다.

    따라서 안정성 면에서 따져보자면 평수가 작더라도 공동 지주가 적을수록 유리하다는 것으로 보아 많은 인원이 투자 하는 큰필지보다는 작은 필지에 소수의 인원이 들어가는 지분투자가 좀 더 나은 선택지라고 보면 된다.

성공 토지투자 비밀☆

◆ 지분투자의 매력

1. 소액으로 가능해 불안은 심리안정.

2. 부담이 적어 기다림 끝에 더 큰 시세 차익

3. 분산투자로 여러 입지의 지주가 될 수 있다,

4. 엄두도 못 낼 대박 입지(역세권 등)의 지주
   가 되는 행운을 얻을 수 있다.

◆ 지분 토지의 종류 : 공유 대 합유

1. 공유

1)공동목적에 의해 구성원들이 결합하지 않고 하나의 물
건을 2명 이상 소유하는 방법.

2) 1개 필지 지분을 일정 투자 비율로 소유한다.

● 각 공유자는 지분 비율로 사용하고 수익도 가능하다.

● 공유자는 지분을 자유롭게 양도, 담보 제공, 처분할
  수 있고 타 공유자의 동의도 필요 없다.

3) 공유물 분할

● 공유자는 언제든 분할을 청구할 수 있다.

● 공유자 1명이 분할을 청구하면 공유자 전원은 원칙

적으로 협의해 나눠야 하며 협의가 성립되지 않으면 법원에 분할을 청구할 수 있다.

- 원칙적으로 법원은 현물 분할을 해야 하지만 예외적으로 대금 분할을 할 수도 있다.

2. 합유

1)계약 때문에 여러 명이 물건을 조합체로 소유하는 형태(조합재산과 신탁재산)

2) 합유자의 지분은 공동목적을 위해 구속되며 자유롭게 처분할 수 없다는 점에서 공유와 다르다.

[합유의 관계]

- 처분, 변경은 합유자 전체의 동의가 있어야 한다.
- 원칙적으로 합유지분 상속은 인정되지 않는다.
- 합유지분 포기는 타 합유자에게 귀속된다.

소액투자 분산투자로 안전한 초보 단계 완성하기.

부동산 투자는 최고의 돈 관리 방법이다. 어려울 때 진정한 친구가 되어주며, 최고의 보상을 해주는 보험이기도 하다. 부동산 투자가 3대를 부자를 보장한다는 말도 있다. 물론 부동산 투자에도 기준이 필요하다.

앞서 말했듯이 지역에 따라 개발 시기가 다 다르게 개발이 된다, 특히 소액투자라면 한 지역에만 투자하는 것이 아니라 지역의 특성에 따라 개발되는 방향에 따라 투자 방법도 달라진다. 향후 목적에 따라 짧게 투자를 해야 하는 곳과 장기적으로 투자를 하는 곳을 나눠 분산투자로 들어가야 된다

앞서 말했듯이 달걀을 한 바구니에 담지 마라! 라는 투자의 속설이 있다. 토지 투자도 마찬가지다. 지역에 따라 투자가치와 기간의 차이가 있다. 내 자금에 맞춰 지역별로 분산투자를 하면 수익구조 면에서나 환금성이 쉬울 수 있다. 목적에 따라 이제 어떻게 투자를 할 것인지 방법부터 한번 살펴보자.

첫째, 국책사업으로 개발되는 지역에 예정이 아니라 확정된 지역으로, 특히 신규도로 확장 등 신설 예정인 도로 주변이 땅값의 움

직임이 가장 빠르게 느껴지는 곳이다. 특히 도로망이 형성되는 곳의 산업단지나 신도시가 들어서는 곳을 추천한다.

둘째, 정확한 정보를 통해 수익성 여부를 확인한 후 투자를 해야 한다. 떠도는 소문으로 판단했다가는 큰 낭패를 보기 때문에. 개발되는 것이 확실한지 현장답사는 필수이며 등기부 등본과는 다르게 땅의 모양새 다를 수도 있고, 고도가 높은 임야나 하천이나 상수도 보호구역이 있을 수 있으니 반드시 현장답사는 필수다.

셋째, 시대의 흐름을 타는 지역과 변화하는 지역을 파악하여 투자해야 한다. 땅값은 단계적으로 오른다. 발표, 착공, 준공의 시기를 거쳐 개발 단계마다 땅값이 계단식으로 올랐음을 알 수 있다.

넷째, 도넛 효과를 알아야 한다. 개발 중심지보다는 주변 지역의 땅값 상승률이 크다는 것을! 중심지는 수용 등의 조치가 따르지만, 주변 지역은 거래 가격이 노출되지 않고 상대적으로 땅값이 싸기 때문에 장기적으로 높은 투자 수익률이 기대하기 좋다. 그 외에도 용도가 바뀌는 곳, 또는 정책에 따라 총선, 대선 1년 전에 투자하는 것도 요령이락 보면 된다.

부동산 투자 시기는 호황일 때보다 불경기가 투자 적기라는 것도 알아 두면 투자에 도움이 된다. 토지 투자는 어려울 때 재기의 발판이 될 수도 있다. 특히 사업하시는 분들이 부동산 토지 투자에

관심을 많이 가지고 있다. 보통 사업소득으로 부자가 된 사람보다
부동산 투자로 부자가 된 사람들이 더 많다.

부동산 투자의 3대 요소

- 사람
- 돈
- 정책(개발 이슈)

    사람과 돈이 몰리는 지역인 동시에, 정책이 있는 곳에 투자해야 성공할 수 있습니다. 도시화가 5.8% 진행되고 있으며, 향후 5.2% 진행할 곳을 찾아서 투자해야 합니다.

재테크의 3대 원칙

- 수익성
- 안전성
- 환금성(유동성)

토지 투자 전 확인해야 할 12가지 포인트.

　토지를 사는 목적은 다양하다. 전원주택을 짓기 위해서, 주말농장을 하기 위해서, 혹은 단순히 투자만을 위해서 토지를 매입합니다. 그 목적에 따라 토지 매입도 다양합니다. 그러면 이와 같은 목적에 부합하기 위해서는 무엇을 고려해야 할까? 투자를 결정하기 전에 12가지 중요 포인트를 확인한다.

　첫째, 토지로 들어가는 진입로가 있는가?
토지를 고를 때 꼭 살펴봐야 할 것 중 하나가 바로 진입로이다. 토지 모양이 아무리 예쁘고 전망이 좋아도 들어가는 길이 없다면 그 토지는 이용 가치가 떨어진다. 이렇게 들어가는 길이 없는 토지를 맹지라고 한다. 맹지를 이용하려면 주변에 있는 토지를 사서 길을 만들어야 하는데 이때 잘못하면 내 토지 가격보다 길을 만들기 위해 사야 하는 토지의 값이 더 비쌀 수 있다. 그러므로 토지를 살 때는 들어가는 길이 있는지 반드시 지적도를 발급받아 확인해야 한다.

둘째 흙의 성질이 건물 짓기에 좋은가?

토지를 살 때 흙의 성질이 어떠한지 반드시 확인 해야 한다. 조금만 파도 바위가 나오는 땅이라면 건물을 지을 때 공사비가 많이 들어간다. 또 모래가 많은 땅이라면 건물을 짓고 난 후 건물이 기울거나 물이 샐 수도 있다. 참고로 좋은 토질은 자갈이 너무 많지 않은, 단단하고 굳은 땅이며 물이 빠짐이 좋은 모래흙 땅이 좋다.

셋째, 밭이나 논을 대지로 바꿀 수 있는가?

사람들이 토지를 사는 이유는 물론 농사를 지으려고 하는 일도 있지만, 주로 나중에 주택이나 상가 같은 건물을 짓기 위해서이다. 그러므로 사 놓은 밭과 논을 주택이나 상가 등을 지을 수 있는 대지로 바꿀 수 없다면 큰 낭패를 본다. 예를 들어 농사만 짓기 위해 모양을 바둑판처럼 반듯하게 정리하고 물을 이용할 수 있도록 수로를 만들어 놓은 논은 집을 지을 수 있는 대지로 바꾸기가 어려우므로 이러한 논은 사지 않은 것이 좋다.

그럼 논과 밭을 대지로 바꿀 수 있는지 알려면 어떻게 해야 할까? 사려는 토지가 있는 해당 시, 군, 구청의 담당 공무원이나 시, 군, 구청 앞에 있는 토목측량업체 혹은 설계사무소에 가서 물어보면 정확하게 알 수 있다. 추가로 토지 이음을 확인해야 하는 것은 물론이다.

넷째, 현재 사용 용도가 공부서류의 지목과 일치하는가?

현장에 가보면 지적도나 토지 이음 확인서의 지목과 다르게 토지를 이용하고 있는 경우가 더러 있다. 이럴 때는 현재 사용하고 있는 용도가 우선된다. 그러므로 공부서류의 지목만 확인하지 말고 실제 어떤 용도로 이용하고 있는지도 반드시 확인해야 한다.

다섯째, 묘는 없는가?
앞서 말한 것처럼 밭과 산을 사는 경우 그곳에 묘가 있는지 반드시 확인해야 한다. 묘가 있는 부분은 자신의 토지라 하더라도 이용할 수가 없기 때문이다. 만약 묘가 있는 곳을 사려고 한다면, 잔금을 치르기 전까지 묘를 다른 곳으로 옮겨주는 것을 조건으로 계약을 해야 한다

여섯째, 토지의 모양은 어떠한가?
토지의 모양도 매우 중요하다. 예를 들어 토지가 직사각형 모양인데 토지의 긴 면이 도로에 붙어 있다면 나중에 도로가 확장될 때 토지의 일부가 깎여나가 모양이 막대기처럼 되어 버려 이용하는데 어려움이 많아진다. 그러므로 토지의 모양은 직사각형보다 정사각형에 가까운 것이 좋고, 삼각형 모양의 토지나 부정형의 토지는 활용면적이 작아서 좋지 않다.

일곱째, 토지의 경사도 확인하자.
집을 지을 때는 15도 정도 완만하게 경사진 토지가 경사지지 않은 토지보다 전망도 좋고 햇빛도 많이 받을 수 있어 적합하다. 토지를

보러 갈 때 걸어서 오르기 힘들지 않고 안정감을 주는 정도면 15도라고 볼 수 있다. 또 경사가 너무 급하면 집을 짓거나 진입하는데 많은 어려움이 있을 뿐만 아니라 심한 경우 건축 허가를 받지 못할 수도 있다.

여덟째, 토지의 방향은 어느 쪽이 좋은가?
집을 지었을 때 거실의 창을 남쪽으로, 출입문을 동쪽으로 낼 수 있는 토지가 좋으며 그 반대는 좋지 않다.

아홉째, 토지의 경계는 정확한가?
시골 땅들은 경계가 모호한 경우가 많다. 자신의 밭을 이용 하다가 자기도 모르게 남의 밭까지 넘어가 이용하기도 하고, 오랫동안 농사를 짓지 않고 버려두었으면 이웃 토지와의 경계가 불분명할 수도 있다. 만약 눈으로 확인하기 어려워 측량을 해야 하면 해당 토지가 있는 시, 군, 구청 민원실의 지적측량 접수창구에 신청하면 된다. 경계측량의 경우 비용이 약 70만 원에서 90만 원 정도 들게 된다.

열 번째, 현재 사는 곳에서 얼마나 거리가 떨어져 있는가?
아무리 전망이 좋은 토지라 해도 거리가 멀어서 가는 시간이 3~4시간씩 걸린다면 토지를 자주 이용하기 어렵다. 따라서 토지는 현재 사는 곳에서 1시간 내지 1시간 30분 정도 거리에 있는 것이 좋다.

열한 번째, 토지 주변에 혐오 시설이 없는가?

2km 이내에 공동묘지, 하수종말처리장, 축사, 쓰레기매립장, 염색
공장 등 혐오 시설이 있는 토지는 사지 않는 것이 좋다. 특히 이
러한 시설들은 산 뒤편이나 마을 구석 등 잘 보이지 않는 곳에 숨
어 있으므로 1/50,000 지도를 가지고 꼼꼼히 검사해봐야 한다. 가
능하다면 지도를 들고 다니면서 직접 확인하는 것이 좋다.

열두 번째, 지하수 개발이 가능한가?

토지의 가치는 개발할 수 있는지, 개발할 수 없는지에 달려 있다.
그런데 개발과 맞물려 따라다니는 것이 지하수 문제다. 지하수를
개발할 수 있는 토지와 지하수를 개발할 수 없는 토지는 그 가치
가 다르다. 지하수를 개발할 수 있는지는 그곳에 오랫동안 살아온
마을주민에게 물어보면 알 수 있다.

<출처 : 부자가 되고 싶다는 땅을 사라 발췌>

시세 파악은 필수!
토지 가치를 정확히 알아라.

사람들은 보통 3년 정도 토지 투자의 성과를 기대한다. 아파트를 분양받아도 2년 뒤에 입주해야 하는데 더구나 토지는 그 지역이 도시화하려면 도로 공사부터 시작해야 한다. 그러면 도로 착공식을 하고 개통식을 할 때까지 2년이 걸린다. 1년, 2년 땅값은 오른다. 하지만 세금으로 50%를 내야하고, 3년이 지나야 일반과세가 된다. 결론적으로 말하자면 1년, 2년 안에 성과를 보려는 사람은 절대 땅에 투자하면 안된다. 1년, 2년 안에는 땅으로 큰 성과를 볼 수가 없으며, 땅값이 올라도 세금을 그만큼 많이 내야 하기 때문이다.

경기도 수원 팔달구 영동이 개발되고 이어서 망포동, 그리고 화성, 평점이 택지 개발되고, 뒤이어 화성 동탄1, 2신도 시가 개발되었다. 강남 땅값이 비싸다는 것은 누구나 알지만 대부분 사람들이 강남구 땅을 미리 사지 못했다. 그런데 수원에서 점점 개발이 진행되더니 어느덧 몇백만 명 이상의 인구가 모였다. 이제는 수원, 화성, 오산시도 이제는 개발 될 곳이 한정되어 있으며 현재는 경기도 수도권 지역은 개발 제한 지역으로 쉽게 토지거래를 하지 못한다.

기업이 가고, 인구가 가고, 인구가 가면 돈은 따라 간다. 투자는 현재 가격에 신경을 쓰지 말고 미래 가치에 신경을 써야 한다. 강남의 은마아파트를 생각해보리. 당시 은마아파트는 분양가가 평당 100만 원에도 미치지 못했다. 그런데 현대 임원들이 그곳에 들어가고 나서 은마아파트 아파트값이 올라가기 시작했고 지금은 20억 대가 넘어간다.

당장 눈앞의 가격을 보는 것이 아니라 미래의 가치를 보는 눈이 필요하다. 앞으로 대한민국의 발전에 따라 우리의 목표도 달라진다. 토지를 살 때에는 정보가 있는 곳, 인구가 몰리는 곳을 찾아야 한다. 토지는 한정된 자원이라는 사실을 잊지 말고 개발되는 지역의 땅값은 시간이 지나면 오를 수밖에 없다는 것을 명심하라.

앞으로는 어떤 종목의 토지가 뜨고, 어떤 곳이 핵심지역이 될지 심층적으로 분석할 수 있는 눈을 키워야 한다. 부동산은 큰 흐름에서 보면 변하지 않지만, 지역에 따라, 그리고 시대에 흐름에 따라 발전하는 곳과 쇠퇴하는 곳은 변하기 때문입니다.

레버리지를 활용하여 수익률을 극대화하라!

"레버리지"(Leverage)란?

레버리지 뜻은 'leverage' 라는 영어단어로써, '지렛대'를 뜻한다. 예날 과학시간에 배웠던, 작은 힘으로 큰 물건을 들어 올리는 바로 그 지렛대이다. 그런데 자본주의 사회에서 레버리지는 투자 분야에 접목되어, 더 높은 효율을 추구하는 행위를 뜻하는 용어로 자주 사용되고 있다.

부동산 투자에서 레버리지 뜻은 타인 자본을 활용하여 실투자금을 줄이는 것과도 같다. 투자를 할 때 투자 수익율을 결정하는 요인 중에 아주 높은 비중을 차지하는 것이 바로 '시드머니' 이다.

500만원으로 100% 수익률을 기록하더라도 500만원 밖에 되지 않지만, 5,000만원으로는 10%만 수익률을 기록하더라도 500만원이다. 즉 시드머니에 따라서 투자의 효율이 달라지게 된다.

투자에서의 레버리지는 현재 내가 가지고 있는 자본금이 적지만 대출(타인자본)을 이용하여 자기 자본의 크기를 키워서 수익금을 극대화 하는 투자 방법을 의미한다.

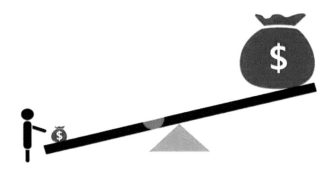

지렛대를 이용하여 적은 힘으로 큰 물건을 들어 올리듯이, 투자 역시 레버리지를 이용하면 큰 수익을 만들수 있다. 특히 부동산 투자는 레버리지를 빼놓고 얘기할 수 없을 정도로, 레버리지 유무에 따라 큰 수익률 차이를 만들어 낸다. 부동산 투자는 이러한 레버리지를 이용하여, 수익률을 극대화 할수 있는 큰 장점이 있다.

대출이 많으면 리스크가 커지는 것도 사실이다. 하지만 소비와 연결된 빚이 아닌, 부동산 투자와 연결된 빚은 소비대출이 아닌 자산 대출이기 때문에 상대적으로 안정하면서 시간이 지날수록 물가 상승보다 빠르게 부동산의 가치는 오르지만 부채는 일정하다. 자산의 가치가 오르는 만큼 부채는 부동산 투자 수익을 따라 갈수 없다.

　무리한 대출은 피해야 하지만, 무조건 대출이 무조건 나쁘다는 인식도 바꿔야 할 필요가 있다.　특히 저금리 인플레이션 시대를 살고 있는 지금 우리는 레버리지를 요령있게 활용하여 자산을 늘리는게 훨씬 현명하다는 것을 잊지 마라.

레버리지 장점

　레버리지의 가장 큰 장점은 뭘까? 내가 생각할 때는 '시간을 아낄 수 있다.' 는 점 이다.　5,000만원 시드머니를 모으기 위해서는 1달에 100만원씩 모으면 50개월, 200만원씩 모으면 25개월이 걸린다. 근데 은행에서 대출을 받으면 단 하루만에 5,000만원을 만들 수도 있다. 또 투자에 성공하기까지 한다면 정말 짧은 시간에 부자가 될 수 있다.

　두 번째 장점은 '수익금이 커진다.' 는 것이다. 시간이 지날수록 물가상승뿐만 아니라 부동산의 가치도 올라 간다.　그러므로 레버리지를 활용해 2년동안 모아 2년후에 투자를 하는 것보다 지금 투자를 하게 되면 이자 상승률보다 부동산가치가 훨씬 더 빠르게 상승한다.

　　　　　　　　　성공 토지투자 비밀☆

잠자는 동안에도 돈이 들어오는
방법을 찾지 못한다면 당신은
죽을 때까지 일을 해야만 할 것이다.

워렌버핏

☆백억부자로 가는길!

언제나 이기는 투자를 위하여!

토지 개발하는 것은 한번 제대로 배우고 나면 아주 쉬운 일이며, 누구든 할 수 있다. 토지개발은 결국, 얼마나 매도를 잘하느냐에 따라 투자를 잘하는지가 결정된다. 주식처럼 저점에 매수하여 고점에 매도하는 것이 가장 좋은 수익을 올리는 것처럼 토지도 마찬가지다. 어떻게 매도하면 좋을지 판단하고 어떤 장점이 있는지 확인하여 그 가치를 드러낼 수 있게 개발하여 가장 좋은 가격에 거래하는 것이다. 그러면 토지 투자는 절대 실패하지 않는다

토지투자하면 많은 금액이 있어야 투자가 가능하다는 생각을 많이 한다. 하지만 그렇지 않다. 토지 투자는 소액투자로 성공할 수 있는 절대적인 재테크 방법이다. 사람, 돈, 정책을 중심으로 자신이 소유하고 있는 부동산이나 앞으로 투자할 땅에 대해 정확한 목적과 빠른 행동과 결정을 할수 있다면 충분히 자산을 증식시켜 나아갈수 있다.

모든 투자는 일찍 시작하는 것이 좋다. 특히 토지투자는 일찍 투자 할수록 적은 금액으로 투자수익을 높이는 최고의 방법이다. 땅은 한정되어 있어서 개발되는 지역에 먼저 선점을 하고 들어가 기다리기만 해도 수익을 올릴 수 있다. 그러니 조금만 공부하고 들어가면 충분히 실패하지 않고 수익을 올릴 수 있는 블루오션 투자법이라고 생각하면 된다.

이 책을 쓰면서 독자 여러분에게 쉽게 투자하지만 실패하지 않는 기본적인 기술을 정리하여 담아 놓았다. 토지의 미래 가치를 알게 되면 잠재된 수익성도 높다. 토지 투자는 미래 가치를 알아보고 투자를 하는 것이 가장 좋다. 토지 투자의 세계를 알게 되고 경험을 공유하면서, 이제 여러분은 더 확실하고 풍요로운 삶을 향한 첫 걸음을 내디디고 있다.

책을 통해 얻은 투자 기초상식은 단순히 지식일 뿐만 아니라, 여러분의 미래를 바꿀 도구입니다. 지금까지의 실패가와 경험이 어려움을 뛰어넘어 성공르로 이어지는 새로운 경제적 도약을 위한 준비를 마쳤다. 이제는 그 힘을 믿고, 현명한 토지 투자를 통해 더 큰 성공과 부를 이룰것이다.

여러분은 자신의 가능성을 믿고, 새로운 도전에 나서며 더 나은 내일을 향해 나아갈 것이다. 돈을 벌기 위한 토지 투자가 아니라, 여러분의 인생의 미래를 바꾸는 투자의 길로 들어 설 것이다. 그러면 여러분의 미래는 새로운 삶으로 이어 나가게 될것이다.

토지 투자를 통해 얻은 이익은 단순히 돈뿐 아니라, 여러분의 노력과 결단력에 대한 보상이다. 계속해서 꿈을 향해 나아가며, 끊임없는 성장과 발전을 추구해 나가는 과정에서 행운이 함께하길 바라며, 여러분의 미래에 건배를 들자! 이제 행동으로 나타내는 여러분의 결단력이 빛나는 순간이 빛을 발한다. 2024년 떠오르는 태양처럼 이 책이 여러분에게 빛이 되어 경제적 자유로 나아가는 확실한 지름길이 되어줄 것이다.

부록

좋은 땅 vs 돈 되는 땅 (출처-지금은 땅이 기회다)

우리는 좋은 땅보다는 돈 되는 땅을 골라내는 능력을 키워야 한다. 토지 투자로 수익을 내는 것이 목표이기 때문이다. 실수요자가 원하는 좋은 땅은 이런 땅이다. 목적이 있어 땅을 구하는 분들은 목적에 맞는 땅을 구매한다. 누가 뭐라고 하든 자신의 마음에 든다면 좋은 땅이 되는 것이다.

돈이 되는 땅은 좋은 땅과는 다르다. 부동산은 살아 있는 생물체이다. 예를 들어 농지가 평당 10만 원 하는 것이 30만 원 되는 것이 빠를까? 아니면 주거지에 있는 100만 원짜리 농지가 300만 원으로 되는 데 빠를까? 당연히 주거지에 있는 농지가 오를 확률이 높다.

부자들에게 배우는 **부자 되는 십계명**

1. 좋은 인연을 맺는다. 지연, 학연, 그 외의 좋은 인맥들이 성공을 이끈다.

2. 성공한 자들의 책을 많이 읽는다. 그 책 속에 부자로 가는 지름길이 보일 것이다.

3. 돈을 쓰지 마라, 낭비는 가난의 지름길 절약하는 습관을 기른다.

4. 잠자지 마라, 시간을 아껴 써라, 시간을 낭비하고 게으른 사람은 결코 부자가 될 수 없다.

 끝없이 자신을 채찍질하여라.

 일찍 일어나는 습관이 자신을 부지런하게 한다.

 하루 3시간 정도 잠으로도 육체는 유지된다.

5. 주말에도 일하라, 일요일 오전은 쉬고, 토·일요일은 오후에도 남들이 쉴 때도 일하라.

 노는 일은 돈이 들지만 일 할 때는 돈을 안 써서 벌고 일해서 벌고 두 배의 상승효과로 돈을 벌 수 있다.

6. 경제에 관련된 뉴스나 신문에 귀를 기울이고, 메모하는 습관을 지닌다. 돈의 흐름을 읽을 수 있어야 한다.

7. 한번 계획했던 일이라면 끝까지 밀고 나가는 끈기가 필요하다. 강한 의지 없이는 부자가 되긴 힘들다.

8. 작은 투자라도 신중하게 하고 특히 부동산에 눈을 돌린다.

 부자의 다수는 거의 부동산이 부자를 만들어 준다.

9. 약속은 목숨보다 소중하다. 신용을 잃어버린 사람은 결코 부자가 될 수 없다.

10. 돈을 만들기 전에 자기 관리가 필요하다.

 끊임없이 노력하고 공부하는 자세로 중요하다.

 한결 업그레이드된 자신의 모습에서 부자의 가치가 더 빛나 보인다.

◆ 초보자를 위한 땅 구입 노하우

1. 투자할 지역을 정한다.

먼저 어느 지역에 투자할지 결정해야 한다. 우리에게는 많은 자금이 있지 않으므로 기회는 한번 뿐이라는 생각으로 신중히 물색해야 한다. 내가 거주 하는 곳과 가까운 곳으로만 투자 지역을 한정지을 필요는 없다. 심리적으로 사는 곳과 가까운 곳으로만 투자지역을 한정지을 필요는 없다. 사는 곳과 가까우면 덜 낮설게 느껴지고 자주 가볼수 있을 것 같아 투자 부담이 덜한건 사실이다. 하지만 수익률을 우선으로 하는 만큼 지역에 구애 받지 말고 가장 좋은 투우면덜 낮설게 느껴지고 자주 가볼수 있을 것 같아서 자처를 찾는 것이 좋다.

2. 투자 금액을 정한다.
투자할 지역을 선택했으면 이제 투자 금액을 결정해야 한다. 이때 자금은 막연하게 얼마를 융통할 수 있다고 뭉뚱그리지 말고 당장 오늘내일이라도 준비할 수 있을 만큼 구체조적이어야 한다. 여기에는 매매 대금 말고도 그에 수반되는 비용까지 포함해야 한다.

3. 투자할 땅을 찾는다.
지역과 자금이 정해졌다면 이제 어떤 땅에 투자할지 결정하는 일만 남았다. 면적이 큰딸을 원하는지, 면적이 작더라도 상품성이 높은 땅을 원하는지, 건물을 지을 땅을 원하는지, 농사지을 땅을 원하는지 기준을 세우고 그에 맞는 땅을 물색하는 것이 좋다.

◆ 부동산의 꽃은 토지

- 모든 투자가 성공하지는 않는다. 따라서 어떤 선택을 하느냐가 중요하다.
- 토지도 마찬가지다. 모든 땅값이 올라가지는 않는다. 그냥 정체된 땅도 많다. 하지만 값이 올랐다는 땅은 분명히 있다.
- 토지를 발굴할 때 수도권, 입지, 사회기반시설, 도로망, 향후 인구 유입, 현 공시지가, 미래가치, 향후 개발될 예상 도로 등을 바탕으로 검토해야 한다. 토지 투자는 현황만 보고 판단해서는 안 된다. 눈에 보이는 투자를 하는 것이 아니라 미래 가치를 보고해야 한다. 토지 투자가 내 눈에 많이 들어올 때는 투자 시기가 늦은 것일 수도 있다. 가격이 많이 올라가 있기 때문이다.
- 부동산 투자의 꽃은 토지다. 소액투자는 지분투자가 정석이다.

◆ 고수들만 아는 도시지역 내 자연녹지

　도시 지역 내 자연녹지는 땅 투자 고수들이 가장 좋아하는 지역이다. 도시지역이란 국토계획법상의 주거, 상업, 공업지역을 말한다. 즉, 도시용지는 주택, 공장, 상업시설, 공공시설, 도로 등이 들어설 수 있는 지역이다. 어느 지역의 인구가 늘게 되면 대개 도시용지가 부족해져 토지개발이 필요해진다.
도시지역 내 녹지는 자연녹지, 생산녹지, 보전녹지 순으로 개발된다. 개발이 시작되면 제일 먼저 자연녹지부터 개발이 되므로 토지 투자의 1순위이다.

◆ 개발에 따른 땅에 꽂힌 깃발 색의 의미

　우리가 도로를 다니다 보면 공사 현장에 꽂혀 있는 깃발들을 볼 수 있다. 또 택지 개발 지구 등 개발 현장을 가면 깃발이 꽂혀 있는 것을 볼 수 있는데 그건 무슨 의미일까? 깃발에도 다 뜻이 있다. 생각해 보면 사업 시기를 예측해 볼 수 있는 것이고 그렇다면 그 그 지역이나 주변에 대한 투자시기를 가늠할 수 있다. 깃발 모양에 따라 담겨 있는 뜻을 한번 알아보자.

◆ 택지 개발에 따른 깃발 표시 용도 구분

깃발의 모양과 색깔에 따라 토지 보상과 토지의 진행 단계를 알 수 있다. 깃발 모양은 크게 △삼각형(토지보상 진행 중), □사각형(택지개발)로 나누어지는데 **깃발 모양과 색깔을 보고** 어디까지 개발 진행이 되었는지 알 수 있으며, 또 **투자를 결정**하기도 한다.

※ 택지 개발 상황이나 종류를 깃발로 표시하는 데 깃발을 통해 현재 진행 정도나 지역 구분을 쉽게 가늠할 수 있다.

[택지 개발 전 (보상단계)] - 택지 개발 전에는 세모 모양의 깃발을 꽂는다.

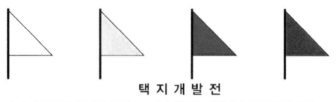

택 지 개 발 전

● 흰 색 : 강제 수용된 토지 (예정)   ● 노 랑 : 보상 중인 토지 (시간이 다소 걸림)
● 파 랑 : 토지 보상 중 (진행 중)   ● 빨 강 : 토지 보상 완료

- **흰색 깃발** : 강제수용된 토지(예정), 최소한 의 보상 역사부 지나 고속도로 나들목 등
- **노란색 깃발** : 토지 보상이 협상 중인 곳 (보 상 지체 및 대립으로 인해 시간이 다소 걸 림)
- **파란색 깃발** : 토지 보상이 원활히 진행 중인 곳.
- **빨간색 깃발** : 토지 보상이 완료된 곳
- **깃발 없는 말뚝** : 토목공사 진행 중인 토지

[구획정리 후]- 구획정리 후에는 사각형 모양의 깃발로 바뀐다.

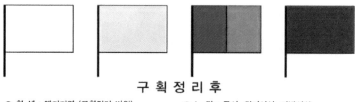

구 획 정 리 후

● 흰 색 : 택지지역 (구획정리 범위)　　● 노 랑 : 통신, 전기시설, 기반시설
● 파 랑 / 녹색 : 상하수도, 가스공사 지역　　● 빨 강 : 계획도로 공사 지점

- **흰색 깃발** : 택지지역(구획정리 범위)
- **노란색 깃발** : 통신, 전기시설, 기반 시설
- **파란색 / 녹색 깃발** : 상하수도, 가스공사지역
- **빨간색 깃발** : 계획도로 공사 지점

※ 길이 아닌 곳에 빨강 직사각 모양의 깃발이 꽂혀 있으면 그 자리에 확장된다는 뜻이다.

[큰(大) 깃발] - 택지개발중인 깃발

(大 깃발) → 택 지 개 발

● 노 랑 : 주거지   ● 파 랑 : 공업지   ● 빨 강 : 상업지

- 노란색 깃발 : 주거지
- **파란색 깃발** : 공업지구
- **빨간색 깃발** : 상업지

※ 깃발도 알고 보면 뜻이 다 있었어! 주변 부동산의
   깃발을 잘 보고 투자할 때 참고 하면 좋다.

성공 토지투자 비밀☆

100억 부자로 가는길!
성공토지 투자비밀

발　행 | 2024년 1월 24일
저　자 | 윤세련(부동산비젼메신저)
펴　낸 | 한건희
펴낸곳 | 주식회사 부크크
출판사등록 | 2014.07.15.(제2014-16호)
주　소 | 서울특별시 금천구 가산디지털1로 119 SK트윈타워 A동 305호
전 화 | 1670-8316
이메일 | info@bookk.co.kr

ISBN | 979-11-410-6827-1

www.bookk.co.kr